- Et alors? Je ne vois rien d'extraordinaire: vous tenez à la main deux paires de chaussures d'homme et deux paires de chaussures de femme.

- Oui. Mais ce qui me fait penser qu'il n'y a plus de moralité dans la jeunesse, c'est que les deux paires de chaussures masculines étaient devant la porte du 15 et les deux paires de chaussures féminines devant celle du 17.

Un autre couple venait d'arriver dans un hôtel de la Côte d'Azur pour passer sa lune de miel. Au moment où le garçon d'étage, qui a monté leurs bagages, tend la main, le jeune marié fouille dans ses poches et s'excuse:

- Je n'ai pas un sou de monnaie.

- On peut s'arranger [...] s vous coucherez, après [...] porte, soyez gentil d'ôter [...] sse regarder par le trou [...]

Dans les Vosges [...] e suite à quoi s'en tenir sur la vertu de sa femme. La coutume était d'offrir à celle-ci une poule. Un volatile blanc signifiait que la réputation de la jeune personne était intacte. Cet honneur était refusé à celle dont la sagesse se trouvait sujette à caution.

En Normandie, lorsque la mariée sortait de l'église, elle devait briser un certain nombre de barrages, constitués par des rubans et des guirlandes de fleurs, qu'on opposait à sa marche. A chaque fois qu'elle avait rompu une de ces barricades, elle en distribuait les morceaux aux assistants.

À la porte du domicile conjugal, elle trouvait un balai posé à terre. Si elle ne le relevait pas, elle faisait ainsi la preuve qu'elle ne serait pas une bonne ménagère.

À Carnac (Morbihan), au moment où la nouvelle mariée sortait de l'église, on lui présentait une énorme branche de laurier, chargée de pommes et ornée de beaux rubans. À l'extrémité de cette branche se trouvait lié un oiseau, auquel elle donnait la liberté. Pour lui rappeler ses devoirs, on lui faisait aussi présent d'une quenouille qu'elle était obligée de filer. C'est une tradition qui était déjà d'usage chez les Romains.

C'est également aux compatriotes de César que nous devons l'usage, longtemps vivace, en certaines provinces, de donner à manger des noix à la jeune mariée pendant sa nuit de noces. Les noix, chez les Romains, étaient le symbole du mariage parce qu'on trouvait à leur coquille une certaine analogie avec l'enveloppe qui protège l'enfant dans le ventre de sa mère.

Un Marseillais, peu avare de galéjades, raconte avec tristesse:

– Ma nuit de noces a été complètement gâchée et cela parce que ma femme est superstitieuse.

– Comment cela?

– Au petit matin, elle a freiné mon élan, en me disant: "Pas une treizième fois, Marius, ça pourrait nous porter malheur!"

C'est peut-être ce qui est arrivé à Attila, roi des Huns, à qui la lune de miel, avec une blonde et germanique beauté, prénommée Ildico, fut fatale.

Le soir, il avait convié tous ses hommes à un banquet bien arrosé pour fêter l'événement. Après quoi il se retira sous sa tente pour passer aux choses sérieuses. Lui à qui nul n'avait résisté jusque là, à commencer par les centaines de vierges éplorées qu'il avait déflorées sans pitié, ne résista pas à son tour aux assauts de sa jeune femme. Il rendit l'âme au cours de cette nuit d'orgie.

Marcel Achard disait du voyage de noces:

– C'est une coutume née de la sagesse. On s'aime tellement les premiers jours. On est si heureux. On ne veut pas que ce grand bonheur-là décourage les petits bonheurs qu'on pourrait avoir par la suite. Alors, on va s'aimer quelque part dans un coin de ce vaste monde où l'on ne retournera jamais.

Au temps de la reine Victoria, une Anglaise, très collet monté, donnait à sa fille, qui venait de se marier, ce dernier conseil pour la nuit de noces:

- Mary, ton époux va, ce soir, commettre un acte révoltant mais inévitable. Sois stoïque: ferme les yeux et pense à l'Angleterre.

Il est à souhaiter que toutes les jeunes mariées puissent longtemps imiter celle-ci qui, enchantée de son voyage de noces, écrivait à sa mère:

"Notre lune de miel se poursuit merveilleusement. Tous les soirs, nous nous couchons de bonheur."

Hélas! il est bien des signes qui montrent que la lune de miel est finie. Par exemple:

- Quand la femme reproche à son mari de faire trop de bruit en préparant le petite déjeuner, le matin.

- Quand le mari cesse d'admirer les déshabillés de sa femme et commence à en évaluer le prix.

- Quand les époux, avant de se mettre au lit, avalent chacun une pilule pour dormir.

- Quand le mari cesse d'aider sa femme à faire la vaisselle et qu'il la fait tout seul.

Dernier test qui prouve que c'en est bien terminé de la lune de miel:

- Quand c'est le chien qui apporte les pantoufles et la femme qui aboie.

"Les chaînes du mariage sont si lourdes à porter, disait Alexandre Dumas fils, qu'il faut être deux pour les porter, quelquefois trois."

C'était le bon temps. Aujourd'hui, ce seraient plutôt les chaînes qu'on abat. On s'épouse de moins en moins.

Nombreux sont les jeunes à se répéter après Pierre Bayle:

- Pour peu qu'on mange, qu'on boive ou qu'on couche ensemble, on a beau s'en défendre, on est un peu marié.

A quoi le vaudevilliste Georges Feydeau répliquait:

- Il y a des gens mariés qui vivent en perpétuel état de concubinage.

Toujours est-il qu'à ce rythme, on risque d'en arriver vite à cette situation que prévoyait, déjà, il y a une vingtaine d'années la poétesse Louise de Vilmorin quand elle ironisait: "De nos jours, personne ne se marie plus, à part quelques curés."

- Il faut dire, précise la sociologue Evelyne Sullerot, que le mariage a toujours été vilipendé. Ce n'est pas une attitude récente. Simplement, on se mariait *quand même*.

Le fait est qu'à travers les siècles, les philosophes et les humoristes s'en sont donné à coeur joie.

- Ne pouvant pas supprimer l'amour, disait Charles Baudelaire, l'Église a voulu au moins le désinfecter: elle a créé le mariage.

Quant au dramaturge André Birabeau, il ironisait:

- Se marier à l'église et à la mairie, c'est ficeler un paquet avec un double noeud. A-t-on donc tellement peur que ça ne tienne pas?

Chez les anciens Romains, les choses se passaient ainsi: la jeune fille quittait, avec l'assentiment de son père, le foyer où elle avait été élevée. Voilée de jaune et portant une couronne, elle était alors conduite en cortège, que précédait le flambeau nuptial, jusque chez son futur époux. L'assistance entonnait un hymne religieux dont le refrain était Hymen! Hyménée! Ces mots évoquant le dieu grec du mariage, Hymen, Athénien d'une grande beauté.

Selon une légende, il fut écrasé le soir même de ses noces par la chute de sa maison, ce qui laisse à penser, d'une part, qu'il avait un peu abusé des galipettes dans le lit conjugal, d'autre part, qu'il avait adopté, en cette circonstance, la position dite "du missionnaire", ce qui explique pourquoi son épouse échappa au désastre.

Tout le monde n'a pas l'ardent tempérament du bouillant Hymen. Trois amis, qui venaient de prendre épouse, avaient choisi le même hôtel pour leur lune de miel. D'un commun accord, ils décidèrent:

- Demain matin, quand on se rencontrera, on se dira autant de fois "bonjour" qu'on aura honoré sa femme, au cours de la nuit de noces.

Effectivement, le lendemain, au moment du petit déjeuner, ils se retrouvent. Le premier lance, superbe:

- Bonjour, bonjour, bonjour, bonjour, bonjour, bonjour.

Le second souriant, dit:

- Bonjour, bonjour, bonjour.

Quant au troisième, la mine déconfite, il questionne distraitement:

- Alors, les gars, ça va?

MINA ET ANDRÉ GUILLOIS

CHERCHEZ ET VOUS TROUVEREZ

- Avez-vous parfois, demande un journaliste à la directrice d'une agence matrimoniale, des nouvelles des hommes qui se sont mariés par votre intermédiaire?
- Ah! oui, souvent. Ainsi, mon agence a déjà été plastiquée trois fois.

*

- Ah! mon amour, dit un jeune homme à la demoiselle de ses rêves, je veux vous épouser.
- Mais, fait la jeune fille, vous avez vu papa et maman?
- Oui, je les ai vus - mais je veux vous épouser *quand même*.

*

Une jeune fille offre à son futur mari une superbe lorgnette.
- Je te promets, lui dit-il, de me servir du petit bout pour voir tes qualités et du gros pour tes défauts.

*

Un monsieur raconte à un ami:
- Moi, j'ai eu ma première dispute avec ma femme quinze jours avant d'être marié.
- Comment cela?
- Quand elle s'est aperçue qu'elle attendait un bébé, on a fait des projets d'avenir, et ça ne concordait pas très

bien: elle voulait un grand mariage à l'église - et moi je préférais rester célibataire.

*

- Bon, dit un pharmacien à son commis, vous voulez absolument épouser ma fille: épousez-la! Mais je vous préviens tout de suite des règles de notre profession: un article qui ne donne pas satisfaction ne peut être, en aucun cas, repris ni échangé.

*

Au Paradis, Eve, très excitée, dit à Adam, que sa nudité empêche de dissimuler ses sentiments:
- Si je te laisse manger ma pomme, toi, tu me laisses goûter à ta banane?

*

- Ma fille, dit une dame à une amie, est vraiment ce que j'appelle une optimiste. Figurez-vous qu'elle s'est inscrite dans une agence matrimoniale pour rencontrer l'homme de sa vie. Et, le jour de leur première entrevue, elle est allée à leur rendez-vous en toilette de mariée.

*

- Je suis bien embarrassée, dit une pensionnaire d'une boîte de strip-tease à une autre effeuilleuse. J'ai reçu une demande en mariage d'un admirateur bien sous tous rapports, mais j'hésite à accepter.
- Pourquoi?
- Ça m'embête de me marier avec un homme dont toute l'ambition se résume à épouser une fille qui montre ses fesses à tout le monde à longueur de soirée.

*

- Tu as épousé ta riche héritière? demande un monsieur à un ami.
- Non. Avant de prendre ma décision, j'avais décidé de faire procéder à un examen graphologique de son écriture. Le seul specimen que j'en possédais était sa signature au bas d'un gros chèque. Je l'ai soumis à un graphologue qui m'a conseillé de rompre au plus vite avec elle, ce que j'ai fait.
- Et sais-tu ce qu'elle est devenue?
- Elle a épousé le graphologue.

*

Un homme des cavernes entraîne une femme des cavernes dans un bois préhistorique:
- Demain, lui dit-il, je vais inventer la roue qui donnera un jour naissance à l'automobile, mais chaque chose en son temps! Aujourd'hui, je viens d'inventer le coup de la panne.

*

- Je ne comprends pas, dit un Français à un Américain, que, dans votre pays, n'importe qui puisse acheter un revolver sans avoir besoin d'une autorisation, alors qu'il en faut une pour se marier.
- Sans doute, explique son interlocuteur, le législateur a-t-il estimé qu'il est beaucoup moins dangereux de manipuler une arme à feu qu'une femme.

*

Un riche veuf supplie sa bonne de lui accorder sa main.
- J'accepte, répond-elle, enfin, mais à une condition...
- Laquelle?

- Au lieu d'un jour de congé par semaine, une fois mariée, j'en exige deux.

*

- Gilles et moi, confie une jeune femme à une amie, on était vraiment faits l'un pour l'autre.
- Qu'est-ce qui te permet d'affirmer cela?
- Avant de me demander en mariage, il a voulu que je lui énumère les personnes avec qui j'avais couché, avant de le connaître. J'ai accepté à condition qu'il en fasse autant, de son côté.
- Et alors?
- A peu de chose près, c'étaient les mêmes.

*

Un monsieur dit à la cartomancienne qu'il est venu consulter:
- Ça alors, vous me prédisez que j'aurai sept enfants. Et mon médecin m'assure que je suis stérile.
- Vous, peut-être, mais votre future femme, sûrement pas!

*

- Jamais je ne me suis autant félicitée, raconte une étudiante à une amie, d'avoir appris le karaté et le judo que lorsque je me suis trouvée en tête-à-tête, l'autre soir, dans un parc désert, avec Frédéric.
- Ça t'a évité de te faire violer?
- Non, pas si bête. Mais, après, cela m'a permis d'obliger Frédéric à me demander en mariage.

*

La belle princesse a ramassé, au bord d'un étang, un

affreux crapaud à qui elle s'apprête à donner un tendre baiser quand il la supplie:

- Votre Altesse, avant de nous engager dans cette voie qui risque de me transformer en un Prince charmant dont vous ferez votre mari, je tiens à vous avertir honnêtement que je suis également marié à une grenouille et père d'environ sept mille têtards.

*

Une charmante vendeuse de billets de la Loterie nationale interpellait régulièrement les passants en leur disant:

- Tentez votre chance.

L'un d'eux, plus malin que les autres, au lieu de lui acheter bêtement un dixième, a eu l'idée de lui demander:

- On baise?

C'est ainsi qu'ils ont vécu très heureux, qu'ils se sont mariés et qu'elle lui a fait endosser les jumeaux dont le père avait prudemment disparu.

*

En Arabie Saoudite, un jeune et bel émir vient trouver un vieil émir et, d'emblée, lui annonce:

- Je suis amoureux et je veux me marier. Voulez-vous m'accorder la main de vos vingt-sept filles?

*

Un jeune homme, à la veille du mariage, murmure à sa fiancée:

- Il faut absolument que je t'avoue quelques fredaines.

- Mais ce n'est pas la peine, dit la promise, tu m'as déjà parlé de tes aventures il y a quinze jours.

- Oui. Mais c'était il y a quinze jours.

*

Un homme confie à un de ces collègues de travail:
- Je ne sais pas quoi faire. J'hésite entre épouser une riche veuve que je n'aime pas ou une jeune et jolie fille complètement fauchée.
- N'hésitez pas, lui dit son collègue, épousez la belle jeune fille... et donnez-moi l'adresse de la veuve, que j'aille la consoler.

*

Le postier interroge une vieille fille qui lui tend le texte d'un télégramme:
- C'est bien cela, le message que vous voulez envoyer: "Oui, oui, oui, oui, oui, oui, oui, oui, oui, oui?"
- En effet. Voyez-vous, je réponds à un homme que j'ai connu par l'intermédiaire d'une agence matrimoniale et qui m'a demandé si je voulais l'épouser. Mais, à la réflexion, j'ai peur que ça n'ait l'air un peu insistant. Au lieu de dix "oui", n'en mettez donc que neuf.

*

Tandis qu'elle vient de faire l'amour avec son nouvel amant, une jeune femme aperçoit, planté sur le balcon, les yeux écarquillés, un garçon qu'elle connaît bien. Se levant d'un bond, elle court vers la fenêtre, l'ouvre et se met à hurler:
- Raymond, je te préviens que si je te prends encore une seule fois à m'espionner, je romps nos fiançailles!

*

Un jeune homme dit à la demoiselle qu'il courtise:
- Ce qui me plairait, c'est qu'on fasse un beau mariage.
- Ce sera possible, répond-elle, à condition que tu me

trouves, ce jour-là, une baby-sitter pour garder mes trois gosses.

*

Un septuagénaire, qui veut épouser une minette de vingt ans, va trouver son médecin pour lui confier:
- Au cours de ma nuit de noces, j'aimerais voir ma femme jouir au moins à trois reprises. Est-ce que c'est possible?
- Très possible, assure le médecin.
- Vraiment? Et que devrai-je absorber?
- Un bon whisky... pendant qu'assis dans un fauteuil vous regarderez votre femme se faire baiser par un garçon de son âge.

*

- Notre fille a déjà vingt-deux ans, dit une femme à son mari. Il serait temps qu'elle se marie.
- Attendons, fait l'époux, qu'un beau parti se présente. Et la femme de s'écrier:
- Pourquoi attendre une chose qui risque de ne jamais arriver? Est-ce que j'ai attendu, moi?

*

Une jeune personne, cherchant à se marier, fait insérer cette petite annonce dans un journal consacré aux plaisirs de la chasse:
"Jeune femme, 22 ans, yeux de biche, rencontrerait chasseur possédant fusil gros calibre, vue mariage."

*

- Tu te rappelles, demande une jeune femme à une

amie, que je t'avais dit que je fréquentais un garçon un peu simplet.

- Parfaitement.
- Eh bien, en fait, il est complètement idiot.
- Qu'est-ce qui te fait penser cela?
- Il veut m'épouser.

*

Après avoir beaucoup souffert, une jeune femme a donné le jour à un beau bébé. Elle murmure à la doctoresse qui se tient encore près d'elle:

- Si c'est ça le mariage, j'en suis dégoûtée. Vous pouvez aller dire au garçon brun, avec la casquette écossaise, qui m'attend dans le couloir, que je romps mes fiançailles.

*

La pêche au mari ne diffère guère de la pêche à la ligne: dans les deux cas, ça marche beaucoup mieux si vous remuez convenablement l'appât.

*

Dans une grande administration, un employé fait une quête:

- C'est pour qui? questionnent ses collègues.
- Pour Virginie, la petite secrétaire du bureau du contentieux.
- Elle se marie?
- Au contraire! C'est le seul moyen qu'on ait trouvé pour la décider à demeurer célibataire et à continuer à nous réserver ses week-ends.

*

- A ton avis, demande un employé de bureau à un collègue, crois-tu qu'une femme puisse garder un secret?
- Tu parles. Tiens, ma femme et moi, par exemple, nous avons été fiancés six semaines avant que je le sache.

*

Une mère-poule vient inscrire sa fille dans une agence matrimoniale. Après avoir pris les renseignements d'usage, la directrice de l'agence questionne:
- Est-elle sérieuse, au moins, votre fille?
- Si elle est sérieuse! Mais elle ne tromperait jamais un de ses amants sans venir me demander conseil auparavant!

*

- Tiens, dit un employé à un ami, je t'annonce mon prochain mariage.
- Avec qui?
- Mireille Langlois.
- Celle qui a une soeur jumelle, Colette, qui lui ressemble tellement qu'on ne peut pas les distinguer?
- Exactement.
- Permets-moi une question stupide. Puisqu'elles sont rigoureusement identiques, pourquoi épouses-tu Mireille plutôt que Colette?
- Mireille, c'est celle qui doit accoucher la première.

*

- Tu te rends compte de ce que tu t'apprêtes à faire, dit un ami à un sexagénaire. Tu veux épouser une jeune fille de dix-huit ans. Mais quand tu en auras soixante-dix, elle en aura vingt-huit.
- Et alors? A ce moment-là, il sera toujours temps, pour

moi, de divorcer et d'en épouser une autre de dix-huit ans.

*

Un petit jeune homme, très efféminé, dit à une belle blonde de sa connaissance:

- Je voudrais vous épouser.

Eclatant de rire, elle répond:

- Je ne demande pas mieux que de vous faire participer à mon mariage mais j'ai une proposition qui conviendrait mieux à vos aptitudes. Que diriez-vous d'être une de mes demoiselles d'honneur?

*

Un homme, qui cherche la partenaire idéale, publie cette petite annonce, dans un magazine spécialisé:

"Je suis grand, fort, beau, intelligent, travailleur, économe, affectueux, en somme, parfait en tous points. Je souhaite rencontrer une femme qui ait suffisamment d'humour pour prendre avec le sourire des rodomontades aussi stupides."

*

- Je voudrais, dit une dame à un pâtissier, commander une pièce montée pour le mariage de mon fils, samedi.

- Certainement, madame, avec naturellement, pour la surmonter, deux petits personnages représentant le marié et la mariée.

- C'est ça. Et, en ce qui concerne la mariée, vous pouvez lui faire donner la main à une ribambelle de six gosses, aux âges qui s'étalent de huit à deux ans.

*

- Maman, dit une adolescente, ça m'inquiète l'idée que j'aurai, un jour, à partir en voyage de noces avec mon mari.

- Mais, ma chérie quand je me suis mariée, moi-même je suis partie en voyage de noces avec papa.

- Bien sûr, mais c'était papa. Tandis que mon mari, ce sera un étranger.

*

Un curé de campagne a reçu d'un de ses paroissiens qu'il avait marié, deux mois plus tôt, à une jeune femme de la ville, ce petit mot énigmatique:

"Je n'oublierai jamais la façon dont vous avez mis un point final à une belle histoire d'amour."

*

Un monsieur demande à un ami célibataire:

- Vas-tu te décider un jour à te marier?

- Je ne peux pas. Je pense trop à ta femme.

- Tu veux dire que tu es amoureux de ma femme?

- Non. En fait, j'ai surtout peur d'en trouver une pareille.

*

Dans un magasin de meubles, deux fiancés examinent les lits. Devant un modèle en 140 de large, le jeune homme demande au vendeur:

- Vous n'auriez pas un peu plus grand? Voyez-vous, quand nous serons mariés, nous comptons recevoir beaucoup.

*

- La première fois que j'ai demandé une jeune fille en

mariage, raconte un monsieur, son père m'a jeté par la fenêtre de leur appartement du second étage.

- Qu'avez-vous fait, alors?
- Par la suite, je n'ai plus fréquenté que des filles habitant au rez-de-chaussée.

*

- Dans les premiers temps de notre mariage, soupire une pauvre femme, mon mari avait pris la charmante habitude de m'éveiller, le matin, en se glissant sous les draps et me faisant quelques gâteries. Puis, peu à peu, il a négligé cette délicate attention. Et voilà que pour le premier anniversaire de notre passage devant monsieur le maire, il m'a offert un réveil.

*

Une jeune mariée, qui n'en a jamais assez, dit à son époux:
- Qu'est-ce qu'on fait, mon gros nounours? On va danser toute la nuit ou on se met bien sagement au dodo?
- Je suis vraiment trop fatigué pour me mettre au lit... alors, on va danser toute la nuit.

*

- Ça va, les amours avec ton musicien? demande une jeune femme à une amie.
- Eh bien, comment te dire? Au début, Philippe était un virtuose du trombone à coulisse. Alors que, maintenant, il serait plutôt porté sur l'accordéon.

*

Tandis que se déroule la cérémonie du mariage, un invité dit, à voix basse, au père de la mariée:

- Je suis surpris que vous ayez donné votre fille à cet individu peu recommandable.

- Comment cela?

- Il vient de faire cinq ans de travaux forcés pour viol.

- Le misérable! Il m'avait dit trois.

*

Deux jeunes mariés visitent un studio à louer:

- Ce qui me plaît, là-dedans, dit la femme, c'est qu'il y a un grand lavabo.

- Et alors?

- Alors, quand maman viendra passer un mois chez nous, tu seras à l'aise pour dormir.

*

- Eh bien, s'écrie la jeune épousée, au moment où son mari s'apprête à s'assoupir du sommeil du juste, après quelques heures de galipettes effrénées, je m'en souviendrai de cette nuit de noces. Ah! tu m'en as fait avoir des émotions.

- Vraiment? se rengorge le mari.

- Oui. Avec ta stupide idée de vouloir garder la fenêtre ouverte, je n'ai pas cessé d'avoir peur d'attraper un bon rhume de cerveau.

*

Dans son courrier du matin, la spécialiste du coeur d'un grand magazine trouve cet appel angoissé:

"J'ai 22 ans et je m'aperçois que la femme que j'ai épousée, il y a deux mois, est une nymphomane. Que dois-je faire?"

Réponse de la courriériste:

"Cessez donc de perdre votre temps à écrire des lettres stupides, filez au lit et profitez de votre chance."

*

Avant de gagner la chambre nuptiale, un jeune marié dit au portier de l'hôtel où sa femme et lui passent leur lune de miel:
- Demain, réveillez-nous de bonne heure. Par exemple, en nous faisant monter le petit déjeuner, sur le coup de trois heures de l'après-midi.

*

Une jeune mariée dit à son époux qui, étendu sur le lit, complètement exténué, vient d'allumer une cigarette:
- Tu as été absolument fantastique... Puis-je toutefois, te suggérer, une prochaine fois, d'attendre, pour commencer, que je sois ressortie de la salle de bains?

*

Un employé de bureau vient d'épouser une sculpturale strip-teaseuse.
- Ça doit être drôlement chouette, s'extasie un de ses collègues.
- Ne crois pas ça, fait l'autre, d'un ton désabusé. Par exemple, quand ma femme se déshabille, le soir, avant de passer d'une pièce de vêtement à l'autre, elle attend toujours que je l'applaudisse.

*

Le repas de noces s'achève. Le maître d'hôtel s'approche des nouveaux époux et questionne:
- Prendrez-vous du café?
- Jamais le soir, proteste la mariée. Ça m'empêcherait de dormir.

*

Le téléphone sonne dans la sacristie de l'église où l'on n'attend plus que le fiancé pour commencer la cérémonie du mariage.

- C'est pour vous, dit le curé à la mariée.

Elle saisit le récepteur et s'étonne:

- Voyons, mademoiselle, vous devez vous tromper. Qui donc pourrait m'appeler ici, depuis l'aéroport de Roissy?

*

Un monsieur demande à sa petite amie:

- Alors, tu as été consulter ce conseiller conjugal dont on dit tant de bien?

- Oui et il m'a complètement convaincue des bienfaits du mariage. Je l'épouse samedi prochain.

*

Une femme avait réussi à se faire épouser en promettant à son fiancé:

- Quand nous serons mariés, tous les matins, je te ferai le coup de la langue fourrée.

Il a été très déçu quand il a compris ce qu'elle entendait par là.

A peine est-elle réveillée que sa langue se met à tourner, pour répéter, inlassablement: "Tu m'achètes un manteau de vison? Tu m'achètes un manteau de vison?"

*

Un jeune marié très prétentieux dit à sa femme, atrocement déçue, qu'il voit en train de rêvasser, allongée sur le lit:

- A quoi penses-tu?

- A rien, dit-elle. Enfin, si, je pensais à ton sexe.

*

Deux jeunes mariés visitent un appartement à vendre, dans une nouvelle résidence.

- Ça a l'air mort, comme quartier, dit le mari. Qu'y a-t-il, au juste, comme distraction?

- Nous y avons pensé, répond le promoteur. C'est pourquoi nous avons prévu des cloisons très minces, pour séparer les logements contigus. Ainsi, tous les soirs, vous pourrez parfaitement entendre les ébats amoureux de vos voisins. Je vous recommande le septième gauche si la chose vous intéresse. Le mari de votre future voisine est gardien de nuit et, tous les soirs, elle rentre avec un amant différent.

*

- Alors, demande une jeune femme à une amie, ça marche, ton mariage avec cet éditeur?

- Bof! fait l'autre, sans enthousiasme.

- Que se passe-t-il? Tu sembles contrariée.

- Il y a de quoi. Il m'avait expliqué qu'il s'était spécialisé dans les manuels sur le thème: "Faites-le vous-même". Par exemple: le jardinage, faites-le vous-même. Le bricolage, faites-le vous-même, etc. etc. Moi je trouvais cela très bien. Jusqu'au soir de notre nuit de noces, où il est allé boire un coup avec des copains, en me laissant en tête-à-tête avec un vibromasseur.

*

Un vieux pasteur anglican vient d'épouser une incandescente jeune femme. Au soir de leur nuit de noces, elle le trouve agenouillé, en train de prier:

- Seigneur, inspirez-moi et fortifiez-moi.

- Qu'il se charge seulement de te fortifier, dit la belle.

Moi, surtout avec ma chemise de nuit en dentelle noire, je me fais fort de t'inspirer!

*

- Jure-moi que tu m'aimes, demande une jeune mariée à son époux.
- Je te le jure.
- Ce n'est pas assez. Je veux que tu me le jures sur ce que tu as de plus cher au monde.
- En ce cas, je te le jure sur l'hypothèque qu'a prise la banque sur notre pavillon.

*

Un vieillard souffreteux entre dans une pharmacie:
- Voilà, explique-t-il, d'un air embarrassé, je viens d'épouser une très jeune femme.
- Et vous avez de petits ennuis?
- En effet. Alors, je voudrais vous demander si vous connaissez un bon remède qui me rendrait l'ardeur de mes vingt ans.
- En toute franchise, je n'en connais aucun, avoue le pharmacien. En revanche, faites donc discrètement absorber vingt gouttes de ce produit à votre femme, chaque matin, au petit déjeuner. Cela résoudra en partie votre problème en calmant un peu l'ardeur de ses vingt ans.

*

- Espèce de monstre, rugit une femme très en colère, j'ai voulu déposer au mont-de-piété le collier de perles que tu m'avais offert, pour notre premier anniversaire de mariage, et l'employé m'a révélé que c'était du toc.
- Cela m'avait, en effet, semblé tout à fait approprié, répond le mari, pour orner cette splendide poitrine qui m'attirait tant, quand nous étions fiancés, et dont j'ai vu,

au soir de nos noces, qu'elle devait tout son éclat à un soutien-gorge bien rembourré.

*

- Je sais bien, dit une dame, que notre fille et notre gendre sont en pleine lune de miel, mais je me demande quand même pourquoi ils ne sont pas sortis de leur chambre depuis qu'ils ont entamé leur nuit de noces, il y a deux jours de cela.
- Moi, répond son mari, ce qui me tracasse surtout, c'est où peut bien être passée ma colle forte que j'avais rangée dans un pot marqué "Vaseline".

*

A la sortie de l'église où vient d'être célébré le mariage de sa meilleure amie, une jeune fille dit, en ricanant, à la mariée:
- C'est quand même drôle que tu épouses Jean-Michel, mon ancien amant, alors que je t'ai entendue dire cent fois que tu ne prendrais pour époux qu'un homme à la fois beau, intelligent et faisant bien l'amour!

*

Au moment où un couple écossais sort du temple où vient d'être célébrée leur union, une dame dit au père de la mariée:
- C'est bien la première fois que je vois lancer du riz brun, en guise de porte-bonheur.
- En fait, explique le père, quand je l'ai utilisé, pour mes deux premières filles, il était blanc. Mais, à l'usage, forcément il se salit!

*

Un employé arrive au bureau avec un magnifique oeil au beurre noir. Ses camarades de travail l'interrogent:

— Que t'arrive-t-il?

— Oh! c'est parce que j'ai embrassé une mariée.

— Mais comment un mari peut-il être jaloux à ce point? C'est une charmante coutume d'embrasser la mariée.

— Bien sûr. Mais il faut vous préciser que cette mariée-là, je l'avais embrassée deux mois après la cérémonie, à son domicile, tous volets clos, pendant que son mari était à son travail. Et voilà que cet imbécile rentre à l'improviste.

*

Deux jeunes mariés vont faire des courses dans un grand magasin. La porte de l'ascenseur s'ouvre, la superbe liftière blonde saute au cou du mari et l'embrasse à pleine bouche.

Quand ils sont arrivés à l'étage désiré et qu'ils sont sortis de l'ascenseur, la femme demande sévèrement à son époux:

— Peux-tu me dire qui est cette créature?

— Ah! je t'en prie, répond-il, fous-moi la paix. J'aurai déjà assez de mal, demain, à lui expliquer qui tu es, *toi*.

*

Une jeune mariée dit, terriblement déçue, à son époux:

— Quand j'ai écrit sur ma fiche de l'agence matrimoniale que j'aimais les sports de l'eau, je pensais rencontrer un milliardaire possédant un yacht - et pas un détraqué qui ne peut faire l'amour que s'il est assis sur un bidet.

*

Un architecte vient de se marier. Tout s'est fort bien

passé, jusqu'au soir où il commence à se livrer à quelques agaceries.

- Non, lui dit sa jeune femme, pas ce soir.

- Et pourquoi donc?

- Ce n'est pas possible. L'homme propose et Dieu indispose.

- Puisqu'on en parle, répond l'architecte, je te signale que, dans mon métier, on ne s'aviserait jamais de dessiner un immeuble sans le munir d'une sortie de secours, au cas où la sortie principale serait impraticable. Or, le bon Dieu, dans sa divine providence, quand il a conçu la femme, a agi exactement de même en ce qui concerne les entrées.

*

Une jeune mariée américaine a été atrocement déçue. Plusieurs fois, son fiancé, un héros du Viet-Nam, lui avait dit:

- Pour notre nuit de noces, je te ferai découvrir l'endroit où j'ai été blessé, pendant la guerre.

Elle s'attendait à ce qu'il l'emmène en pélerinage à Saïgon.

En fait, dans un sordide hôtel de Brooklyn, il s'est contenté de baisser son slip.

*

A sa sortie de l'église, où vient d'être célébré son mariage, le jeune marié dit à son garçon d'honneur:

- Je devais avoir l'air d'un parfait imbécile, pendant la cérémonie.

- Pas du tout, répond son ami. Mais on voyait bien que tu n'étais pas toi-même.

*

Après avoir fait l'amour pour la première fois à sa virginale épouse, un jeune marié lui dit:

- Tu as poussé un cri quand je t'ai pénétré. Je t'ai fait mal?

- Ce n'est pas ça, répond-elle, mais jamais, auparavant, je n'avais couché avec un homme qui ait eu les pieds aussi froids que toi.

*

- Alors, ma chérie, demande la mère d'une jeune femme, ton mari te rend-il parfaitement heureuse?

- Ecoute, maman, pour te donner une idée de ses performances, il vient d'ouvrir son septième compte à la banque du sperme et tous les matins, après m'avoir donné du plaisir quatre fois de suite, il va faire un dépôt.

*

Une prostituée assiste à la cérémonie de mariage d'une de ses anciennes collègues de travail. Au moment où le curé se lance dans une homélie sur les beautés de la vie conjugale, la fille glisse à une copine, qui se trouve juste à côté d'elle:

- Tu sais qu'il me ferait chialer. Ah! ce que j'aimerais retrouver mes dix ans, quand j'en savais aussi peu que lui sur l'amour.

*

Au petit matin de sa nuit de noces, un monsieur dit à sa jeune femme:

- Tu sais, si tu avais accepté de me céder, avant la cérémonie comme je t'en suppliais, je ne t'aurais jamais épousée.

- Mais, mon chéri, répond-elle, je ne suis pas si bête. On me l'a fait trop de fois, ce coup-là!

*

Deux jeunes mariés, en voyage de noces en Grèce, sont en train de faire l'amour quand la terre se met à trembler:
- Oh! s'écrie la jeune femme, ravie, cette fois, je crois que tu t'es vraiment surpassé!

*

La lune de miel de deux jeunes mariés vient de débuter très agréablement.
- Bon, dit la femme, en prenant la direction des opérations, après ce petit hors-d'oeuvre, toi tu te lèves et tu vas retourner le disque sur l'électrophone et moi j'agis de même, sur le lit, pour qu'on attaque la deuxième manche.

*

Alors que le cortège nuptial sort de l'église, le garçon d'honneur demande à l'heureux époux:
- J'ai déjà eu souvent l'occasion d'embrasser la mariée. Alors, si ça ne te dérange pas, en guise de félicitations, j'aimerais plutôt lui mettre la main aux fesses.

*

Dans un bureau, deux employées papotent sur le dos d'une de leurs collègues qui vient de se marier:
- Tu crois que ce sera une union durable?
- Je ne pense pas. Elle s'est contentée d'emprunter un livre de cuisine, pour huit jours, à la bibliothèque.

*

Une Française qui vient d'épouser un Australien est surprise, au soir de leur nuit de noces, de le voir jeter par

la fenêtre tout le mobilier, jusqu'à ce que leur chambre soit complètement vide.

- Qu'est-ce que tu mijotes? lui demande-t-elle.

- Ecoute, répond l'Australien, je n'ai jamais fait l'amour avec une femme mais à chaque fois que je l'ai fait avec un kangourou femelle, je te jure qu'il fallait de la place, dans la pièce.

*

Une jeune fille, très myope, s'était toujours refusée à porter des lunettes. Un jour, elle se maria et partit en voyage de noces. Dès son retour, sa mère appela un ophtalmologiste.

- Docteur, dit-elle, venez vite. C'est une urgence. Ma fille n'a jamais voulu porter de lunettes et, ce matin, elle est rentrée de sa lune de miel...

- Calmez-vous, madame, fit l'ophtalmologiste. Envoyez-moi votre fille la semaine prochaine et je l'examinerai tranquillement. Si elle a passé plus de vingt ans de sa vie sans lunettes, je ne pense pas qu'il y ait une telle urgence...

- Mais si, docteur, mais si. L'homme avec lequel elle est partie en voyage de noces n'est pas le même que celui qui l'accompagnait au retour.

*

La virginale épouse d'un garagiste réfrène son ardeur, au soir de ses noces:

- Ce n'est pas à toi, lui dit-elle, que j'apprendrai l'importance du rodage. Alors, disons, deux coups pour les trois premières nuits, trois coups pour les trois nuits suivantes et, ensuite, feu à volonté.

*

En pleine nuit, le forgeron d'un petit village est tiré de son sommeil par des coups frappés à sa porte. Il se lève en bougonnant et questionne:

- Qu'est-ce que c'est?
- Nous sommes des jeunes mariés en voyage de noces, répond une voix d'homme.
- Et alors?
- Pourriez-vous décoincer la fermeture-Eclair de mon pantalon? Votre prix sera le mien.

*

- Comment se fait-il, demande le curé à la jeune femme en robe de mousseline blanche, dont il s'apprête à célébrer l'union, que votre couronne de fleurs d'orangers porte aussi des oranges?
- Cela signifie, tout simplement, répond la mariée, que nos fiançailles ont été interminables.

*

Une Française, qui a épousé un cow-boy américain, lui dit, quelques jours après leur mariage:

- John, je sais bien que l'on ne conçoit pas de la même façon l'éducation des deux côtés de l'Atlantique. Que vous mâchiez votre affreux chewing-gum à longueur de journée, je l'accepte. Que vous me lanciez de grandes tapes sur les fesses en m'appelant "Ma petite jument", je ne peux pas vous en empêcher. Que vous gardiez vos bottes, munies d'éperons, pour faire l'amour, admettons-le encore. Mais pour l'amour du ciel, je vous en supplie, ôtez au moins votre cigare de votre bouche quand vous m'embrassez.

*

Le garçon d'étage apporte leur petit déjeuner à deux

jeunes mariés qui sont venus passer leur lune de miel dans un hôtel de Bretagne:

- La météo s'annonce formidable! leur lance-t-il, joyeusement. Il paraît qu'il va pleuvoir sans discontinuer pendant trois jours.

*

Une jeune mariée se déchaîne après son époux:

- Tu n'es qu'un voyou, un affreux bonhomme et un bon à rien!

Et, comme il ne répond rien, elle enchaîne:

- Eh bien, patate, lavette, loquedu, tu pourrais au moins dire quelque chose!

- Excuse-moi, ma chérie, fait-il, mais une scène de ménage, chaque soir, c'est vraiment trop pour moi. Je n'ai plus assez de forces pour une réconciliation.

*

Au cours du repas de noces, la virginale épousée a été proprement saoulée par le garçon d'honneur assise à côté d'elle. Son mari la prend dans ses bras, complètement étourdie par les vapeurs de l'alcool et l'emporte dans la chambre nuptiale.

En apercevant le lit, elle bredouille:

- C'est quand même... malheureux... A chaque fois... que je sors avec un homme... il faut... que ça se termine... comme ça!

*

Un jeune couple, en voyage de noces, venait tout juste de gagner la chambre de leur hôtel quand un bandit, dissimulé derrière un rideau, surgit, revolver au poing. Traçant un cercle à la craie sur le plancher, il ordonne au mari:

- Allez, mets-toi à l'intérieur de ce cercle et si tu en sors, je te brûle la cervelle.

Le pauvre mari prend place dans le cercle tandis que le bandit, saisissant dans ses bras la jeune femme, l'entraîne vers le lit et la viole à plusieurs reprises.

Enfin, vers cinq heures du matin, il s'en va discrètement, comme il était venu. Le mari est alors secoué par un inextinguible fou-rire qui met sa femme en fureur:

- Alors, s'écrie-t-elle, tu trouves ça drôle!

- Oh! oui, pouffe de plus belle le mari. Pendant la nuit, trois fois de suite, j'ai posé un pied hors du cercle et l'affreux bandit ne s'en est même pas rendu compte.

*

- C'est vraiment incroyable, gémit une jeune fille, Frédéric était absolument fou de moi. Et voilà que huit jours avant la noce, il me laisse tomber.

- Eh oui, commente son amie, les fous sont ainsi: ils ont parfois des moments de lucidité.

*

Une femme très autoritaire va consulter un conseiller conjugal pour se plaindre de son mari:

- Il a été odieux dès le premier jour, explique-t-elle. Ainsi, il tenait absolument à figurer sur les photos de mariage.

*

- Ah! raconte un employé de bureau à un collègue, je m'en souviendrai de ma nuit de noces! Je m'étais tellement enivré que mes deux garçons d'honneur ont dû me porter jusqu'à ma chambre.

- Ta femme a dû être furieuse, le lendemain matin.

- Justement pas. Et c'est ce qui m'inquiète, parce que

je me demande ce qu'ont bien pu faire avec elle les deux garçons d'honneur, une fois qu'ils m'ont eu déposé dans la baignoire!

*

Un grand repas a réuni les deux familles à l'occasion des fiançailles d'une jeune fille avec un joyeux célibataire d'une trentaine d'années.

Discrètement, la fiancée prend à part un oncle de son futur mari et lui demande:

- Pensez-vous que François m'aimera autant qu'aujourd'hui quand il m'aura épousée?

- J'en suis sûr, mon enfant, répond l'oncle. François a toujours adoré les femmes mariées.

*

Alors que la mariée sort de l'église, toute rose de pudeur, dans sa robe blanche, un de ses amoureux évincés s'approche du marié et lui glisse à l'oreille, en ricanant:

- Pour son petit déjeuner, ce qu'elle aime, surtout, c'est, dans l'ordre, une petite cajolerie d'une langue agile, et ensuite un café noir bouillant, avec un seul sucre et un croissant non beurré.

*

Le jeune marié s'apprête à prendre un repos qu'il estime bien gagné, après avoir baisé sa femme trois fois de suite.

- Chéri, lui dit celle-ci, selon mon échelle des valeurs, je t'attribue pour ta performance la note de 3 sur 10. Mais, tu as encore droit à sept tentatives pour tenter de réaliser un sans faute.

*

- Qu'est-ce qui vous fait penser, demande le directeur de l'hôtel au portier, que les deux personnes qui viennent de prendre une chambre dans notre établissement sont de jeunes mariés?

- Oh! des détails insignifiants. D'abord, l'homme tenait la femme dans ses bras. Et aussi le fait qu'en descendant de la voiture il était tellement pressé qu'il n'a pas pris la peine de défaire sa ceinture de sécurité et qu'il est entré chez nous avec son siège.

*

Les jeunes mariés viennent de faire l'amour pour la cinquième fois, au cours de leur nuit de noces.

- Chéri, demande la femme, apparemment insatisfaite, si jamais, cette nuit, je mourais de plaisir, est-ce que tu te remarierais?

Et son époux, cherchant à reprendre son souffle, de répondre:

- Pas dans les trois prochains jours, en tout cas.

*

- Écoutez, dit le maire auquel la moutarde commence à monter au nez, il ne s'agit pas de savoir ce que je ferais si j'étais à votre place. C'est à vous de vous décider, mon ami: alors, c'est "oui" ou c'est "non"?

*

A Hollywood, un nouveau marié s'apprête à croquer le dernier morceau du gâteau de mariage.

- Repose ça immédiatement, ordonne son épouse. Je veux le donner à mon avocat pour qu'il se démène afin de m'obtenir un bon divorce.

*

Entrant à l'improviste dans un compartiment de première classe, un contrôleur trouve un homme et une femme en train de faire l'amour avec une superbe fougue.

- Je parie, dit-il, en leur faisant un clin d'oeil, que vous êtes en voyage de noces.

- C'est bien vrai, répond l'homme. On doit se marier le mois prochain.

*

Au cours de sa lune de miel, un comédien, totalement épuisé, dit à sa jeune femme, toujours insatisfaite:

- Bon, j'accepte un cinquième rappel mais, ensuite, je t'en supplie, baisse définitivement le rideau ou je serai obligé d'annoncer "Clôture" pour au moins huit jours.

*

- Chérie, dit timidement un jeune marié à son épouse, regarde mon veston: sur quatre boutons, il n'en reste qu'un.

- C'est pourtant vrai! et ça ne fait pas joli!

- Ah! Alors...

- Eh bien, ne sois pas stupide. Arrache celui qui reste.

*

- Ah! non, dit complètement éreinté, un homme qui vient d'épouser une postière, la nuit de noces est terminée. Il n'y aura pas de nouvelle levée avant demain, neuf heures.

*

Un jeune marié, tolérant mais sans excès, dit à sa jeune

femme, en sortant de la mairie où vient d'être célébrée leur union:

— Mettons-nous tout de suite d'accord. J'accepte que tu portes la culotte dans notre ménage mais à une condition: que je sois le seul à en manoeuvrer la fermeture-Eclair.

*

Au vendeur d'un magasin de farces et attrapes, un monsieur demande du fluide glacial, du poil à gratter, des dragées au poivre et une douzaine d'autres articles.

— Je parie, dit le vendeur, que c'est pour un mariage.

— En effet.

— Et que vous êtes le garçon d'honneur.

— Là, vous vous trompez. Je suis le marié.

— Excusez-moi. Je ne comprends pas très bien, si vous êtes le marié, ce que vous comptez faire de tout cet attirail.

— Vous allez comprendre. Depuis trois ans qu'on couche ensemble, ma fiancée et moi, si je veux qu'elle se souvienne de sa nuit de noces, il vaut mieux que je trouve de l'inédit.

*

Une Française, qui a épousé un Américain, installée toute nue sur le lit, proteste, en voyant son mari entrer dans la chambre, la langue gourmande et un flacon à la main:

— Franchement, ça m'étonnera toujours que vous autres, Américains, teniez à arroser de ketchup tout ce que vous consommez.

*

Pressé par toute sa famille, un petit jeune homme très maniéré s'est décidé à se marier.

Au lendemain de sa nuit de noces, un vieil oncle lui demanda, d'un air égrillard:

- Alors, est-ce que la mariée est enceinte?

- Je l'espère bien, minaude-t-il, parce que je ne voudrais pas avoir à revivre ce que j'ai vécu la nuit dernière!

*

- Avant de faire l'amour, dit un jeune marié à sa femme, j'aime bien fumer un cigare. Rien ne t'empêche, d'ailleurs, de connaître un plaisir du même ordre. Avec l'avantage supplémentaire pour toi que ce n'est pas la fumée de ce genre de cigare qui risque de te piquer les yeux.

*

Deux jeunes filles ont été séduites par les rodomontades de deux beaux parleurs. Au lendemain de leur nuit de noces, elles s'interrogent mutuellement:

- Alors, ton mari qui se vantait d'avoir une Rolls-Royces et un château?

- Tu parles! C'est une vulgaire 2 CV qu'il gare dans une cabane en planches. Et le tien qui assurait que six perroquets pouvaient tenir perchés côte à côte sur son sexe?

- Peuh! Il y a place tout juste pour un moineau et encore, il n'arrête pas de glisser.

*

Un jeune marié est désolé que tous ses travaux d'approche n'aient provoqué chez son épouse que des cris effarouchés et un refus obstiné de se laisser toucher.

- Mais enfin, lui dit-elle, entre deux sanglots, je ne vois pas du tout pourquoi, parce que je t'ai toujours dit que je

me refusais à faire l'amour *avant* le mariage, tu as pu te mettre en tête que cela me plairait de le faire *après*.

*

Je sais que vous êtes impatient, dit le prêtre au jeune homme dont il s'apprête à célébrer le mariage. Pourtant, je vous assure que vos cannes à pêche risquent de vous gêner, pendant la cérémonie. Vous devriez les déposer à la sacristie.

*

Sur les marches de l'église, une mariée en blanc essaie de consoler un jeune homme en habit qui sanglote:
- Mais voyons, Olivier, lui dit-elle, c'est un affreux malentendu. Je vous ai bien invité à mon mariage, mais pas comme époux... comme témoin.

*

Un couple vient consulter un conseiller conjugal:
- Les premiers huit jours de notre union, explique le mari, se sont très bien passés. Les choses ont commencé à se gâter, avec ma femme, lorsque j'ai voulu sortir du lit.

*

- Quand tu auras fini de déballer toutes ces boîtes, qui encombrent l'entrée, avec des berceaux, des layettes et des voitures d'enfants, dit un jeune marié à sa femme, tu me diras quel a été le résultat de ton test de grossesse.

*

Une ancienne serveuse de restaurant dit au fils du notaire qui vient de l'épouser le matin même:

- Qu'est-ce que j'apprends? Que vous avez engagé un pari de 1000 F avec le pharmacien en donnant ma virginité à six contre un. Mais, enfin, mon pauvre ami, si vous commencez à jeter ainsi l'argent par les fenêtres, nous serons ruinés dans six mois.

*

Deux jeunes mariés vont sur un champ de courses.

- Tiens, dit le mari, en désignant un cheval dont le sexe est démesurément tendu, voici celui sur lequel je vais parier.

- Laisse tomber, conseille sa jeune femme. Tu vois bien qu'aujourd'hui il n'a pas du tout la tête aux choses sérieuses.

*

Deux nouveaux époux viennent d'avoir une dispute épouvantable. Quand ils en ont terminé, la femme grimpe sur les genoux de son mari qui fait la tête et elle l'embrasse, en lui disant:

- Ne dis pas le contraire: je sens bien que tu m'aimes toujours.

- Ne te fais pas trop d'illusions, répond son mari. Ce sont mes clés.

*

Une jeune mariée raconte à sa mère:

- Mon mari est terriblement joueur.

- Tu le savais déjà avant de dire "Oui" devant monsieur le maire.

- C'est vrai. Mais où il a franchement dépassé les bornes, c'est quand, le soir de nos noces, après m'avoir fait entièrement déshabiller, il m'a dit: "Avant de te coucher sur le dos ou sur le ventre, attends que j'aie tiré à pile ou face."

*

- Tu sais ce qui me plairait? dit une jeune mariée, un rien vicieuse, à son époux...
- Non.
- Pour une fois, je voudrais que tu me traites comme une prostituée. Et moi, je n'accepterais de faire l'amour avec toi qu'après que tu m'aurais donné 500 F.

Le mari, pas contrariant, allonge ses cinq billets et la folle sarabande commence.

Au moment où la jeune femme, comblée s'apprête à somnoler un peu, elle reçoit sur les fesses un bon coup de ceinture.

- Allez, lui ordonne son mari, aboule cinquante sacs ou sinon tu vas passer à la dérouille. C'est ton Jules qui te le dit!

*

- Est-ce que les idiots congénitaux peuvent se marier? demande un monsieur à son meilleur ami.
- Certainement, répond l'autre. Et je me ferai une joie d'être ton garçon d'honneur.

*

A la sortie de l'église, une jeune mariée embrasse interminablement les invités qui font patiemment la queue pour attendre leur tour. Au bout d'une demi-heure, elle sursaute en dévisageant l'homme qui vient de l'embrasser à pleine bouche.

- Mais, monsieur, dit-elle, je ne vous connais pas!
- Excusez-moi, fait l'inconnu, mais voilà ce qui s'est

passé. Quand j'ai pris la file d'attente, je croyais que c'é-
tait pour la pâtisserie. Alors, pour compenser le temps
perdu, je me rembourse.

*

Au soir de sa nuit de noces, une femme, étendue sur le
lit conjugal, se met en colère après son mari:

- Enfin, s'écrie-t-elle, tu ne pourrais pas oublier un peu
ton métier d'illusionniste! Que tu fasses sortir un lapin
d'un chapeau, passe! Mais tu crois que c'est agréable,
pour une femme, de voir sortir de ses endroits les plus intimes, un chapelet de saucisses, des petits drapeaux, un
ballon de rugby et un raton-laveur.

*

Un sapeur-pompier vient de se marier. Au soir de ses
noces, tandis que sa femme se couche, pour l'attendre au
lit, il se rend dans les lavabos et claironne:

- Pimpon! Pimpon! Un feu à apaiser? Oui, madame,
j'arrive tout de suite avec ma lance.

Il revient dans la chambre, se couche, commence à
faire l'amour à sa femme mais, bientôt, celle-ci se met à
crier à son tour:

- Pimpon! Pimpon! Pimpon!

- A quoi ça rime, demande le pompier, tous ces pim-
pons?

- Oh! fait sa femme, je réclame simplement un peu plus
de longueur de tuyau.

*

Terriblement contrariée, après une demi-heure de préliminaires infructueux, une jeune mariée s'écrie:

- J'aurais dû m'en douter, tout à l'heure, lorsque tu as déjà passé dix minutes à tenter d'introduire ta clé dans la serrure. Et quand on voit ce qu'une clé est rigide!

LES GAITÉS DE LA VIE CONJUGALE

Un mari a découvert l'amant de sa femme, terrorisé, tout nu, au fond d'une penderie. Sans paraître le remarquer, il lance à la cantonnade:

- Dans une penderie, on range des vêtements, mais il faut toujours redouter les mites. C'est pourquoi, par précaution, on utilise l'antimite. Chérie, passe-moi donc les deux gros paquets de boules de naphtaline que j'en truffe un vêtement de peau qui n'en a pas encore reçu.

*

- Je vais essayer, dit le médecin à sa patiente, de bien me faire comprendre. Vous intéressez-vous aux problèmes économiques?

- Un peu, comme toute le monde.

- Eh bien, disons que votre petit capital est victime d'une inflation pernicieuse et que, si nous ne prenons pas d'urgence des mesures draconiennes, dans huit mois, environ, les dégâts seront irréparables.

*

Rentrant chez lui à l'improviste, d'un voyage à l'étranger, un homme d'affaires trouve sa femme au lit avec son associé:

- Et alors, dit l'épouse infidèle, d'un ton agressif, quand tu donnes à quelqu'un le titre de "fondé de pouvoir", tu t'imagines peut-être que ça va se limiter à t'éviter les corvées.

*

Revenant de répondre à un coup de téléphone, une femme rejoint son mari au lit et ne peut dissimuler sa déception en voyant en quel piteux état elle le retrouve, après l'avoir laissé si fringant. Son époux prend l'initiative en disant:

- Ma chérie, avant toute chose, permets-moi de te rappeler tes propres paroles, l'autre soir, quand tu as servi ton soufflé: "Ces trucs-là, si on traîne, pour les consommer, ça retombe aussi vite que c'était monté."

*

Une conseillère du coeur est formelle:

- Madame, ne vous désolez surtout pas si votre mari parle en dormant. Songez plutôt aux millions d'hommes qui se contentent de sourire ironiquement pendant leur sommeil.

*

- Ma femme, raconte un monsieur, est une fumeuse enragée.

- Peuh! Ce n'est rien à côté de la mienne!

- Elle a les dents complètement noircies par l'abus des cigarettes.

- Si je vous disais que la mienne, ses slips sont complètement tachés par la fumée.

*

Régulièrement, un employé arrivait au bureau avec un oeil poché et il expliquait:

- Ma femme est atrocement jalouse. Elle m'a fait cela parce qu'elle avait trouvé un cheveu blond sur mon veston.

Un matin, il se présenta avec les deux yeux pochés et le crâne entouré de bandelettes.

- Ma femme, dit-il, est de plus en plus jalouse. Et voilà qu'elle a trouvé deux poils de rouquine dans ma moustache.

*

Un homme s'indigne, en lisant son journal:

- Il paraît qu'un Anglais a passé trente ans de sa vie entre ses deux femmes qui s'ignoraient mutuellement. Il vivait une semaine chez l'une et une semaine chez l'autre. Tu ne trouves pas ça scandaleux, Caroline - Heu... je veux dire Béatrice!

*

- Que fais-tu, en combinaison, à quatre heures de l'après-midi? hurle un mari qui est rentré chez lui plus tôt que prévu.

- Chut! ordonne sa femme, ne parle pas si fort. Le voisin va t'entendre.

- Quel voisin? Notre maison est à cinq cents mètres de la plus proche habitation.

- Oui. Mais, justement, le propriétaire de cette habitation est couché dans notre lit.

*

Un douanier, complètement épuisé, dit à sa femme qui l'incite, pour la douzième fois de la journée, à faire l'amour:

- C'est bon, tu l'auras ton manteau de fourrure mais je t'en supplie, par pitié, arrête ta grève du zèle.

*

Un homme politique, marié à une femme très jalouse, a entraîné à l'hôtel une jeune admiratrice. Sans illusion, à peine au lit, il commence ainsi sa déclaration:

- Ma chérie, messieurs les détectives privés chargés par ma femme de m'espionner, monsieur le juge, mesdames et messieurs les membres du jury... malgré tous vos micros, on va quand même rigoler un bon coup.

*

- Ce Paul Duval, s'écrie un industriel, est vraiment le plus persuasif de mes représentants. Il a réussi à vendre une poupée gonflable à un émir du Moyen-Orient qui a deux cent trente-sept femmes dans son harem!

*

Un homme rentre chez lui à l'improviste et trouve sa femme au lit avec un amant. Son incursion ne les fait pas s'arrêter un instant:

- Assieds-toi, dit simplement la belle infidèle à son mari, et regarde attentivement ce que fait la concurrence. Je suis sûre que ça va t'ouvrir des horizons nouveaux.

*

- Allô. Mon mari m'a encore maltraitée, dit une femme au planton du commissariat qui répond à son appel.

- Et vous voulez qu'on envoie une patrouille, pour le calmer?

- Envoyez donc plutôt une ambulance - pour l'emmener à l'hôpital où ils parviendront peut-être à le ranimer.

*

Ouvrant un oeil péniblement, un homme, qui a la tête près d'éclater, dit à sa femme:

- Qu'est-ce qui s'est passé, hier... à la fête du bureau?
- Tu t'es disputé avec ton patron et il s'est fâché.
- Oh! mon patron, je l'emmerde!
- C'est exactement ce que tu lui as dit. Et il t'a foutu à la porte sans indemnités.
- Ça alors, je me suis bien fait baiser!
- Non, corrige sa femme, c'est moi. C'est même pour cela que tu reprends normalement ton boulot demain.

*

Deux époux, qui se disputent comme des chiens, sont près d'en venir aux mains.
- Ne t'avise pas de me frapper, hurle la femme, où tu auras des ennuis.
- C'est vrai, dit le mari, en laissant retomber sa main. J'oubliais que je suis membre de la Société protectrice des animaux.

*

Trois dames d'une cinquantaine d'années comparent tristement l'état de leurs maris respectifs:
- Mon mari, dit l'une, est impuissant à 50%.
- Comment pouvez-vous évaluer cela?
- Autrefois, nous faisions l'amour deux fois par semaine. Maintenant, une seule lui suffit largement.
- Sur ces bases-là, dit la seconde, mon mari est impuissant à 90%. Naguère, nous faisions l'amour une dizaine de fois par mois. Maintenant, nous en sommes péniblement à une.
- Eh bien, le mien, dit la troisième est impuissant à 200%.
- C'est impossible!
- Mais si. Comme il n'y arrivait plus, il avait entrepris de me contenter en me faisant de douces cajoleries. Et voilà qu'avant hier, il s'est mordu la langue.

FRAPAR.

*

Sur le coup de trois heures du matin, une femme s'é-
veille et voit son mari qui revient de la cuisine, un verre
d'eau à la main.

- Qu'est-ce que tu fais là? lui demande-t-elle.
- Je t'apporte une aspirine.
- Mais, dit-elle, interloquée, je n'ai pas mal à la tête.
- En ce cas, dit-il, en se glissant dans les draps, tu n'as
aucune excuse pour refuser de faire l'amour.

*

- Avouez, Mesdames, dit une conseillère du coeur, que
c'est bien agréable d'avoir un homme pour vous proté-
ger. Par exemple, si vous étiez célibataire, qui vous tien-
drait l'escabeau pendant que vous repeigniez le plafond?

*

- Je ne comprends pas ce qui a pu passer dans la tête
de mon mari, confie une malheureuse femme à sa meilleure amie. L'autre jour, je lui avais montré, à la vitrine
d'une boutique de fleuriste, le conseil: "Dites-le avec des
fleurs". Et je lui avais dit combien je serais contente qu'il
m'exprime, de cette façon, ses sentiments à mon égard.

- Et alors?
- Le lendemain, il m'apportait un cactus.

*

- Tu mets deux culottes l'une sur l'autre, s'étonne un
mari très naïf. Tu crains tellement le froid quand tu vas à
ton bureau?

- Non, répond-elle, c'est plutôt quand j'y suis - et que
mes collègues arrivent, l'un après l'autre, avec leurs
mains glacées.

*

- Je ne comprends pas du tout ta réaction, dit une femme que son mari, rentré à l'improviste, a surprise dans les bras d'un réparateur de la télévision, ou alors tu es un bel hypocrite! Chaque matin, en partant pour ton bureau, tu me souhaites "Bonne journée". Et, pour une fois que j'en passe une, de bonne journée, tu fais la gueule!

*

Rentrant de voyage, un monsieur embrasse sa femme et l'interroge:
- Alors quoi de neuf?
- Peu de chose, répond-elle, à part la peinture du mur contre lequel tu viens de saccager ton complet neuf en t'appuyant.

*

- Comment, demande le juge, vous êtes-vous rendu compte que votre mari était bigame?
- C'était, répond la plaignante, le jour où je lui ai dit que je voulais divorcer. Il s'est trahi en me répondant: "C'est une décision importante. Il faut que j'en parle à ma femme."

*

- Pouvez-vous me décrire, demande le psychanalyste, la façon dont votre mari vous regarde, quand vous venez de faire l'amour?
- En général, répond sa patiente, ce n'est pas moi qu'il regarde mais plutôt mon partenaire. Et il se pose visiblement cette question qui l'angoisse: "Est-ce le même que

la semaine dernière ou en a-t-elle encore déniché un nouveau?"

*

- Qu'est-ce que j'apprends? rugit un mari. Avant de m'épouser, tu as, pendant tout un hiver, été poser nue, aux Beaux-Arts, devant une trentaine d'étudiants.
- C'est vrai, mon chéri, répond-elle, mais je peux te jurer que je ne risquais rien.
- Vraiment?
- Mais, oui. Le chauffage était réglé de façon à ce que la température de l'atelier ne descende jamais en-dessous de 22 degrés.

*

Au cours d'un repas, une femme entend son mari qui se vante à un de leurs amis:
- En dix ans de mariage, j'ai bien trompé cinquante maris.
- Et moi, sussure-t-elle, je n'en ai trompé qu'un - un bon millier de fois.

*

- Ça y est, annonce une sportive à son mari, j'ai été nommée vice-présidente du club.
- Eh bien, soupire-t-il, c'est bien le seul vice qui te manquait.

*

Un député reproche à sa femme:
- L'amour! L'amour! Tu n'as que ça en tête. Change un peu de temps en temps.
- De quoi voudrais-tu que je te parle?

- De politique, par exemple.
- D'accord. A ton avis, combien de fois par mois le Président de la République fait-il l'amour?

*

- Chéri, dit la femme d'un footballeur, ça y est, je suis enceinte pour la septième fois.
- Eh bien, grommelle-t-il, si je gardais mes buts aussi mal que tu défends les tiens, il y a longtemps que je serais transféré en vingt-troisième division.

*

- Mettez-moi en prison, dit un monsieur qui vient de pénétrer, hors d'haleine, dans un commissariat: j'ai tiré à coups de revolver sur ma femme.
- Elle est morte? questionne l'un des agents.
- Si elle était morte, répond l'homme, croyez-vous que j'aurais besoin de me réfugier ici?

*

- J'ai entendu ce matin, dit un monsieur à sa femme, quelque chose qui m'a ouvert les yeux.
- Oh! mon chéri, supplie son épouse, je t'en supplie. Pardonne-moi. Je ne t'ai trompé qu'une seule fois et, encore, ce n'était pas ma faute!

Furieux, l'homme commence à frapper sa femme jusqu'au moment où elle s'effondre, assommée:
- Quand je pense, s'écrie le mari jaloux, que je lui parlais simplement du réveil-matin!

*

- Mon vaurien de mari, raconte une habitante d'un grand immeuble à une voisine, est rentré hier soir, en me disant: "Il faut que tu couches avec le propriétaire: j'ai perdu l'argent du loyer au poker."

- Et vous lui avez obéi?

- Il a bien fallu. D'autant que je me suis bien gardée de lui dire que, sur ces bases-là, notre loyer était déjà payé pour les six prochains mois.

*

- Notre émir d'époux est vraiment très fatigué, soupire l'une des trois cents femmes d'un harem. L'autre jour, je l'ai trompé avec un de ses eunuques. Eh bien, je n'y ai vu aucune différence.

*

Tandis qu'un mari est en train de faire l'amour avec sa femme, le téléphone sonne. Sans se dégager, la femme tend le bras vers le téléphone et répond:

- Allô, Nicolas. Ça alors, quelle coïncidence. Une minute avant que vous ne m'appeliez, j'étais justement en train de penser à vous.

*

Un policier, plein de finesse, sonne à la porte d'un appartement:

- M. Antoine Dupont? demande-t-il au quinquagénaire, un peu chauve, qui lui a ouvert.

- C'est moi-même.

- Je dois vous informer que vous êtes cocu.

L'homme devient rouge, blanc, vert et tombe, victime d'un infarctus.

Deux jours plus tard, il reprend connaissance, en salle de réanimation de l'hôpital où on l'a transporté. Le policier de l'autre jour est à son chevet:

- Bonnes nouvelles, lui dit-il. Votre femme ne vous a

pas trompé. En vous disant cela, je voulais seulement vous faire ensuite la bonne surprise de vous annoncer qu'elle avait, tout simplement, été écrasée par un autobus.

*

- Ça y est! annonce un paysan à sa femme. On est sur la voie de la fortune!
- Comment cela?
- Je viens de réussir à croiser un pois sauteur avec un concombre.
- Et qu'est-ce que ça donne, comme résultat?
- Le premier vibromasseur du monde entièrement écologique.

*

- Alors demande le conseiller conjugal au pauvre homme qui vient le consulter, vous allez me dire que vous avez des ennuis avec votre épouse.
- Pas du tout! Ma femme et moi nous nous entendons à merveille.
- Ça, c'est original! En ce cas, quel est votre problème?
- L'amant de ma femme s'est mis en tête d'épouser ma maîtresse.

*

Bien défraîchie, une milliardaire d'une soixantaine d'années dit au charmant jeune homme qu'elle vient d'épouser:
- Tu sais ce que racontent toutes mes amies?
- Non.
- Que tu ne t'es marié avec moi que pour mon argent.
- J'aime mieux ça, répond-il, que si elles me prenaient pour un imbécile.

HENRI ! MES RIDEAUX !!
AH ! AH ! J'VOIS QUE TU TIENS PLUS À TES RIDEAUX QU'À TON AMANT !..
FRAPAR

*

Surprise dans le lit conjugal, en flagrant délit d'adultère, une dame, sans perdre son sang-froid, entreprend de faire les présentations:

- Chéri, voici mon mari...
- Enchanté.
- Mon gros nounours, permets-moi de te présenter un des hommes dont je me suis toujours soigneusement gardée de te parler, jusqu'à ce jour, pour que, jaloux comme tu l'es, tu n'ailles surtout pas te faire des idées.

*

Un provincial raccompagne à la gare l'ami qui est venu passer quinze jours de vacances chez lui.

- Merci pour tout, lui dit son ami. Ton hospitalité m'est allée droit au coeur. Merci de m'avoir réservé la meilleure chambre de ta maison. Merci de m'avoir nourri comme un prince. Et puis je t'en prie: félicite ta femme de ma part. Elle fait délicieusement l'amour.

Là-dessus, le train part et le voyageur explique à ses compagnons de compartiment qui le regardent d'un air étonné:

- Ce n'est pas vrai du tout. Sa femme, c'est un vrai veau. Mais il est tellement gentil que je ne voudrais, pour rien au monde, lui faire de la peine en lui disant ce que j'en pense réellement.

*

Un homme, qui bâille à se décrocher la mâchoire devant la télévision, sursaute en voyant surgir de la chambre sa femme, vêtue d'un déshabillé de tulle bleu transparent montrant que, dessous, elle ne porte qu'un porte-jarretelles, des bas noirs et des souliers à hauts talons.

- Chéri, lui dit-elle, choisis toi-même ton programme: t'endormir devant la télé en suivant un de ces débats politiques comme tu en as déjà vu deux mille, ou participer, en ma compagnie, à une nouvelle version de la *Chevauchée fantastique*.

*

- C'est bon, dit à bout d'arguments un malheureux mari, je vais me décider à demander une augmentation à mon patron. Mais, ma chérie, si ce n'est pas trop indiscret, puis-je savoir combien je gagne, exactement?

*

A la fois raciste et horriblement soupçonneux, un mari observe sa femme qui s'est endormie la première. Soudain rouge de colère, il la saisit par les cheveux, la jette toute nue sur la descente de lit et lui flanque une correction mémorable.

- Qu'est-ce qui se passe? gémit la malheureuse. J'étais en train de rêver que j'achetais du tissu.

- Du tissu! rugit le jaloux. J'aurais voulu que tu voies l'air extasié que tu avais, en écartant tes mains l'une de l'autre de quarante centimètres et en disant: "Vous auriez le même en noir et en grande largeur?"

*

- Je voudrais un bifteck, dit une jeune mariée à son boucher, mais d'une meilleure qualité que celui que vous m'avez vendu hier.

- Pourquoi, il était dur?

- Ce que je voudrais, surtout, c'en est un d'une sorte qui brûle moins facilement, quand on l'oublie sur le gaz pendant un quart d'heure.

*

Une dame se tord de rire, après que son mari se soit escrimé pendant dix bonnes minutes avant de lui prouver son amour.

- Tu viendras encore, ricane-t-elle, te moquer de moi parce que je n'arrive pas du premier coup à rentrer la voiture dans le garage!

*

- Depuis le premier jour de votre mariage, demande l'avocat à un homme qui veut obtenir le divorce, combien votre femme vous a-t-elle fait essuyer d'affronts?
- Oh! à peu près autant que d'assiettes!

*

Après une terrible scène de ménage, un mari a offert à sa femme un manteau de skunks dont elle rêvait depuis longtemps. Folle de joie, elle s'écrie:

- Jamais je n'aurais cru qu'une bête aussi puante puisse donner un si beau manteau.
- Je ne te réclame pas de remerciements, fait, avec une grimace, son pauvre mari, mais, au moins, un peu de respect.

*

- Ma chérie, plaide un homme, surpris par son épouse, couché avec une blonde représentante en produits de beauté, cette jeune personne proposait des affaires tellement exceptionnelles que j'ai fait tout ce que je pouvais pour qu'elle veuille bien patienter jusqu'à ton retour.

*

Un peintre paysagiste dit à sa femme:

- J'ai une commande urgente à réaliser. Vite, retire ta culotte et allonge-toi sur cette chaise en faisant bien jaillir ta croupe.

- Mais en quoi cela va-t-il t'inspirer?

- Ah! je ne t'ai pas expliqué: la commande en question, c'est un tableau représentant le ballon d'Alsace.

*

Un monsieur très content de lui, s'installe, tout nu, devant la glace de son armoire et, s'admirant sous tous les angles, répète à haute-voix:

- C'est beau ça! Quatre-vingts kilos de dynamite! Quatre-vingts kilos de dynamite...

Sa femme, attirée par ce manège, passe la tête par l'entre-bâillement de la porte:

- Hélas! soupire-t-elle, pourquoi faut-il que la mèche soit si courte!

*

- Ma femme, confie un pauvre type à un de ses copains, possède une grande intelligence.

- Et quand l'as-tu remarqué?

- Après avoir observé qu'elle n'avait pas de belles jambes, pas de seins, pas de fesses et qu'elle faisait très mal l'amour. Je te jure que c'était vraiment sa dernière chance.

*

Une femme des cavernes dit à un homme des cavernes qui la serre de près:

- Je me contrefiche de savoir si, grâce à toi, un de nos descendants inventera, dans deux millions d'années, la machine à coudre! Je ne veux pas faire l'amour, un point c'est tout!

*

La femme d'un gendarme se plaint au juge des divorces:

- La vie avec mon mari devient vraiment impossible. A chaque repas, c'est la même comédie. Il me force à boire une demi-bouteille de vin. Après quoi il s'installe sur le canapé, dégrafe son ceinturon, ouvre son pantalon et me dit: "On va vérifier que tu n'es pas en état d'ébriété. Allez, souffle dans l'alcooltest!"

*

Un homme à la barbe blanche, qui a épousé une très jeune femme, se rend compte, au bout de quelques mois, de la dégradation de leur ménage. Un jour, il se décide à interroger franchement sa juvénile épouse:

- A ton avis, qu'est-ce qui pourrait le mieux contribuer à améliorer nos rapports?
- Dans ton cas, répond-elle, méchamment, je ne vois guère que l'amidon.

*

Un mari, brimé par une épouse dominatrice, répond au téléphone:

- Non, monsieur, vous avez fait un faux numéro. Ici, ce n'est pas du tout la prison. La grande différence, c'est que la prison, on a toujours l'espoir qu'on pourra en sortir un jour.

*

Une femme a été surprise au lit avec son nouvel amant, un champion du monde poids lourd.

- Bon, dit-elle à son mari, dès que tu auras fini de claquer des dents, fais des excuses à monsieur pour être rentré si tôt et va donc tenir compagnie à ta mère, qui se plaint toujours de passer des soirées solitaires.

*

- Quelle a été, demande-t-on à une dame, la réaction de votre mari en apprenant qu'un jury venait de vous décerner le titre de Meilleure ménagère de la ville?
- Il en a été si surpris qu'il a laissé tomber la pile d'assiettes qu'il venait de laver, juste après avoir terminé son repassage.

*

Une jeune mariée téléphone à sa mère:
- Allô, maman, tu te rappelles m'avoir donné, l'autre jour, une recette de spaghettis à la bolognaise...
- En effet.
- Je viens de la faire goûter à Alain qui m'a exprimé son opinion à sa manière. Pourrais-tu, maintenant, me donner une recette pour me rincer les cheveux couverts de pâtes dégoulinantes de sauce bolognaise?

*

- J'ai peur, dit un psychanalyste à un de ses clients, que nous n'arrivions à rien tant que votre femme insistera pour s'asseoir au pied du divan et répondre à votre place, à chaque fois que je vous pose une question.

*

FRAPAR.

- Mon mari, raconte une dame à un conseiller conjugal, me bat à chaque fois qu'il rentre en état d'ivresse.

- Ma femme, enchaîne le mari, me lance à la figure toute la batterie de cuisine.

- Alors, questionnent-ils en chœur, qui a raison?

- Moi, dit le conseiller.

- Vous?

- Oui. Parce que moi, j'ai eu l'intelligence de rester célibataire.

*

Une jeune femme avoue, en tremblant, à son mari:

- Tu vas me disputer. J'ai brûlé tout le fond de ton pantalon en le repassant.

- Eh bien, fait le mari, heureusement que j'avais un pantalon de rechange à ce complet.

- Oui, dit sa femme, sinon je me demande où j'aurais pu découper un morceau pour réparer le pantalon que je t'avais abîmé.

*

Un cuisinier dit à sa femme, en lui tendant un vibromasseur:

- Tu chauffes un peu le four avant que j'introduise mon rosbif?

*

Un mari trompé dit à l'homme qu'il a surpris couché avec son épouse:

- Mon garçon, je vous préviens que la prochaine fois que je vous y reprends, je révèle tout à votre femme par une lettre anonyme - recommandée avec accusé de réception.

*

Un mari, abondamment cocu sans le savoir, lance, finement, au cours d'un repas d'amis:

- C'est quand même curieux que toute l'intelligence des femmes passe à tromper leur mari.

A quoi son épouse réplique:

- Pardon, mon chéri, un quart seulement.
- Et les trois autres quarts?
- Elles les utilisent à ce que leur mari ne se doute de rien.

*

Un homme, connaissant le peu d'aptitude de sa femme pour la cuisine, est tout surpris de déguster de succulents haricots verts.

- Hum! s'exclame-t-il, c'est délicieux. Tu as ouvert toi-même la boîte?

*

Surpris par sa femme tandis qu'il embrassait goulûment la bonne, un monsieur très astucieux imagine aussitôt une explication valable:

- Ne te méprends surtout pas, ma chérie, dit-il à son épouse en colère. Je racontais à cette petite comment s'est passée notre première rencontre.

*

- Au fait, demande une jeune femme à une amie qu'elle rencontre, après l'avoir perdue de vue pendant quelques mois, comment va ton grand amour avec Bernard?

- C'est complètement fini, de part et d'autre.
- Pourtant, Christine me disait qu'on vous voit tout le temps ensemble.

- Forcément, nous sommes mariés.

*

Un mari, qui cherche à se justifier, dit à la fleuriste:
- Je voudrais un bouquet de roses.
- Je vous en mets une douzaine?
- Non. Six suffiront. Voyez-vous, ma femme me soupçonne simplement. Elle ne m'a pas pris sur le fait.

*

Une bonne âme dit à un veilleur de nuit:
- Je vais vous causer un grand choc mais je dois absolument vous avertir. Hier, cinq minutes après que vous ayez quitté votre domicile, pour aller travailler, j'ai vu entrer chez vous un individu. Votre femme l'a accueilli en lui sautant au cou. Le rideau de la chambre n'était pas tiré. J'ai tout vu. Il lui a ôté sa robe, puis sa combinaison, son soutien-gorge, sa culotte. Quand il ne lui est plus resté que ses chaussures, il l'a prise dans ses bras et l'a portée jusqu'au lit. A son tour, il s'est mis tout nu et...
- Attendez, fait le veilleur de nuit. Cet individu mesure environ 1,80 mètre.
- En effet.
- Il est très brun...
- Oui, je crois.
- Il porte une grosse moustache...
- C'est vrai.
- Il était vêtu d'un blue-jean et d'un blouson de cuir noir...
- Tout cela est exact.
- Peuh! Alors, je sais de qui il s'agit. C'est mon ami, Christophe, un pauvre type qui couche avec n'importe qui!

*

Un ami de son mari étant passé à l'improviste, une dame lui a servi un petit apéritif. A un moment, le téléphone sonne et elle doit s'absenter quelques minutes. Quand elle revient, son visiteur lui dit, en riant:

- Par mégarde, j'ai bu dans votre verre et j'ai lu toutes vos pensées.

- En ce cas, répond-elle, vous devez savoir que je me refuse absolument à ce qu'on risque de brûler mes beaux draps, en fumant au lit, après avoir fait l'amour.

*

- A quoi penses-tu? demande une femme à son mari.
- A rien, répond-il. Absolument à rien.
- Mais enfin, s'écrie son épouse, quand vas-tu cesser, une bonne fois, de toujours penser à toi!

*

- Pourquoi, questionne un policier, lorsqu'un homme masqué d'une cagoule, qui avait sonné à votre porte vous a fait subir d'odieuses violences, n'avez-vous pas appelé au secours votre mari qui déjeunait, dans la pièce d'à-côté?

- On voit bien, répond-elle, que vous ne savez pas comme mon mari est désagréable quand on le dérange pendant qu'il mange.

*

- Viens donc, chéri, dit une femme, tremblante de désir à son mari. Qu'est-ce que tu trafiques à coller ce papier sur la porte de la chambre?

- C'est juste un rectangle blanc, comme à la télé, répond l'époux. Pour que les gosses sachent bien que, ce soir, s'ils regardent, comme d'habitude, par le trou de la

serrure, ils doivent s'attendre à un spectacle particulièrement érotique.

*

Une Américaine, dont le riche mari était en voyage
d'affaires en Europe, reçoit ce télégramme d'un de ses
collaborateurs:
"Votre mari trouvé mort dans toilettes de station de
métro Richelieu-Drouot, avec 100.000 dollars dans son
portefeuille. Que dois-je faire?"
La réponse ne se fait pas attendre:
"Envoyez les dollars et tirez la chaîne".

*

- Mes relations avec mon mari s'améliorent, confie
une pauvre femme à un psychanalyste. Hier, après avoir
fait l'amour, il a éprouvé le besoin de me parler.
- C'est, en effet un grand progrès. Et que vous a-t-il
dit?
- Peu de choses, en fait. J'ai décroché le téléphone. Il
m'a dit "Allô..." Et j'ai entendu la voix de sa secrétaire
qui lui criait: "Ne perds pas ton temps en parlottes avec
cette andouille. Allez, viens, on remet ça!"

*

- Mon pauvre vieux, dit un homme à un ami, je suis
désolé de te faire de la peine mais il me faut bien te révé-
ler que ta femme te trompe.
- Ah! s'écrie le mari, pas du tout surpris, alors, elle a
rompu avec toi aussi?

*

- Une seule chose m'embête un peu, dit l'employé

d'une entreprise de sondages, en se dégageant de l'é-
treinte d'une dame figurant parmi son "échantillonnage
représentatif". C'est que *maintenant*, je suis obligé de
faire un gribouillis sur ma fiche pour vous classer parmi
les femmes ayant été, au moins une fois, infidèles à leur
mari, alors que vous m'aviez assuré du contraire, quand
j'ai commencé de vous interroger.

*

- Docteur, dit un monsieur, le tranquillisant que vous
avez prescrit à ma femme est formidable. Autrefois, elle
était tellement tendue que je ne pouvais même pas coucher avec elle.
- Et maintenant?
- Tout le village le peut.

*

Un pêcheur, qui rentre chez lui après avoir passé toute
la journée au bord de l'eau, dit à sa femme, en écartant
les mains l'une de l'autre de vingt centimètres:
- J'en ai raté un comme ça!
- Moi, répond-elle, en écartant les mains l'une de l'autre de trente centimètres, quand ton ami Gilles est passé,
sous prétexte de t'inviter à faire une belote, cela m'aurait
fait mal d'en rater un comme ça!

*

- Voyez-vous, disait-on à un malheureux mari, le mariage est une loterie.
- Oui, soupira-t-il. Le malheur est qu'il n'y ait pas un
nouveau tirage chaque semaine.

*

Trois joueurs de poker disent à leur partenaire qu'ils viennent de plumer:

- Allez, on te donne une chance. On te joue ta femme.
- D'accord, répond-il. Mais ne venez surtout pas ensuite m'accuser d'avoir triché pour perdre volontairement.

*

On sonne à la porte d'entrée. Aussitôt, l'homme qui était en train de faire l'amour avec une superbe rousse, saute du lit et court se cacher dans la penderie. D'abord surprise, la femme le rappelle:

- Georges, ne sois pas stupide. Mon amant a l'esprit suffisamment large pour ne pas me faire une scène parce qu'il m'a surprise en train de coucher avec mon mari.

*

Un monsieur rentre chez lui et il se fait accueillir par un concert de hurlements:

- Prends les patins! Range ton manteau humide dans la penderie au lieu de le jeter sur un fauteuil. Tes cendres de cigarettes! Enfin, à quoi servent les cendriers?
- Ah! ça suffit! proteste l'homme. Tu vas me foutre la paix, oui? Je te préviens: un mot de plus et je retourne chez ma femme!

*

Un représentant de commerce arrive chez lui, après cinq jours passés à courir les routes.

- Alors, demande-t-il à son jeune fils, qu'as-tu appris, cette semaine?
- Maman est frigide, dit le gamin.
- Hein?
- Oui. Maman est frigide. La preuve, c'est que j'ai en-

tendu le voisin qui lui disait: "Quand tu me poses tes pieds sur le ventre, pour les réchauffer, c'est un vrai frigidaire".

*

- Mon mari, confie une dame à une amie, est vraiment un affreux cachottier.
- Ce n'est pas qu'il a une maîtresse, au moins?
- Pire que cela! Il ne m'a révélé qu'il était irrémédiablement stérile, depuis qu'il a eu les oreillons à l'âge de douze ans, qu'au moment où je venais de donner le jour à notre huitième enfant.

*

- C'est déjà exaspérant, dit une dame à une voisine, d'avoir un mari qui a la manie de continuellement redresser les tableaux. Mais ça bat tous les records quand on a, dans sa salle de séjour, comme c'est mon cas, une reproduction de la tour de Pise.

*

Le roi d'un tout petit état, après des années de fidélité conjugale, avait pris une maîtresse, ce qui lui attira les foudres de l'archevêque qui le menaçait d'excommunication s'il persistait dans son péché.

Le souverain répliqua en invitant le prélat à passer quelques jours au palais. Le premier soir, l'archevêque se régala d'un faisan dont il ne laissa que les os. Le lendemain, il mangea de bon appétit un faisan au déjeuner et un autre au dîner. Le troisième jour, il montra moins d'enthousiasme devant les deux faisans qui lui furent servis aux deux repas. Le quatrième jour, avec un haut-le-coeur, il protesta, en repoussant le plat:

- Du faisan! Toujours du faisan!
- Eh oui, fit le roi: la reine, toujours la reine!

*

Un grand costaud, qui rentre, bien éméché, après une soirée très arrosée, trouve sa femme au lit avec un amant. Il saisit celui-ci par la peau du dos, le jette en l'air pour l'assommer contre le plafond, lui cogne la tête contre les murs, avant de le piétiner.

- Tu as de la chance, glisse la belle infidèle à son amant. Mon premier mari, lui, n'avait absolument pas le vin gai.

*

Une femme accompagne son époux, qui vient consulter un médecin.

- Docteur, dit-elle, mon mari ne se sent pas bien, depuis quelque temps. Afin que vous ne risquiez pas de vous aiguiller sur une fausse piste, je vous conseille d'éliminer tout de suite le surmenage d'ordre sexuel.

*

Pendant que son mari installe des stores aux fenêtres de leur pavillon, une dame dit à une voisine:

- Et dire que, pendant toutes les années qui ont précédé sa retraite, il m'a fait croire que son syndicat lui interdisait de procéder à la moindre réparation dans notre maison.

*

Après dix ans de mariage, une femme soupire:

- La première année, Alfred, très amoureux, me donnait une belle pièce de 10 F... pour mettre dans ma tirelire à chaque fois qu'il avait envie de faire l'amour. Aujourd'hui, j'ai beau lui agiter sous le nez un billet de 500 F, ça le remue autant que si je lui servais une tasse de tilleul.

*

Victime de cambrioleurs, le mari d'une femme très bavarde, confie aux journalistes:

- Je ne pardonnerai jamais aux malfaiteurs qui nous ont dévalisés.

- Parce qu'ils vous ont volé 500.000 F?

- Ce n'est pas cela.

- Parce qu'ils ont violé votre femme à six reprises, sous vos yeux?

- Ce n'est pas cela.

- Alors, pourquoi leur en voulez-vous à ce point?

- Leur forfait accompli, ils nous ont ligotés, ma femme et moi, et nous avons dû passez douze heures ainsi avant de pouvoir nous libérer. Et figurez-vous que ces gredins avaient parachevé leur oeuvre en me bâillonnant et pas elle!

*

Un mari malheureux en ménage rentre chez lui, complètement ivre, sur le coup de deux heures du matin. Sa femme lui ouvre la porte.

- Ça, balbutie-t-elle... ça, c'est pas de chance!... J'ai bu... toute la soirée pour... t'oublier.

- Oui. Et alors?

- A présent, je te vois double.

*

- Tu as vu, chérie, dit un corpulent quinquagénaire à sa femme, en me croisant, cette jolie fille m'a souri.

- Et alors, réplique son épouse, qu'y a-t-il d'étonnant à cela? Moi, quand je t'ai vu pour la première fois, j'ai bien éclaté de rire.

*

Le mari qui rentre chez lui à l'improviste et trouve sa femme au lit, en train de faire l'amour avec un déménageur, ne cache pas sa colère:

- Que vous baisiez ma femme, si vous y tenez vraiment, passe. Mais, je n'admettrai pas qu'en garant aussi bêtement votre camion, vous m'empêchiez de rentrer dans mon garage.

*

Un pauvre mari, abondamment trompé, s'est muni d'un revolver et il s'apprête à tuer son rival quand sa femme a une idée de génie:

- Tu sais, avoue-t-elle à son époux, les 50.000 F que je prétendais avoir gagnés à la loterie...
- Oui, eh bien?
- En réalité, cela venait de lui. Et mon manteau en imitation de fourrure...
- Alors?
- C'est du vrai vison et c'est lui qui me l'a offert.
- Ah!
- Et mon bracelet en verroterie...
- Ne me dis pas...
- Si. Ce sont de vrais diamants et c'est encore lui...

A ce moment, le mari bafoué pose son arme et, s'approchant du lit, remonte la couverture jusqu'au nez de l'amant tout tremblant.

- Couvre-le donc, dit-il à la traîtresse. Tu ne voudrais quand même pas qu'il prenne froid.

*

Un mari rentre chez lui complètement ivre et trouve, une fois de plus, sa femme au lit avec un amant.

- Enfin... bredouille-t-il... tu ne pourras donc jamais... oublier ton vice?
- En tout cas, réplique l'infidèle, il y a une grande dif-

férence entre mon vice et le tien. Le tien fait sortir de l'argent de la maison alors que le mien en fait rentrer.

*

- Quand vous utiliserez ce shampooing pour sols, dit un représentant à une ménagère, non seulement vous pourrez admirer votre adorable visage se reflétant sur le carrelage de votre cuisine, mais, lorsque vous aurez accueilli une fois le facteur en robe de chambre, je peux vous assurer que ce qu'il apercevra, en baissant les yeux, l'incitera à vous remettre, désormais, chaque matin votre courrier en mains propres, au lieu de le laisser bêtement traîner chez la concierge.

*

Surprise en flagrant délit par son mari, dans le lit conjugal, une femme contre-attaque en prenant l'initiative:
- Et qu'est-ce qui me prouve, demande-t-elle, en désignant son amant, que ce monsieur n'est pas un détective que tu aurais engagé pour faire trébucher ma vertu, afin qu'ensuite tu obtiennes un bon divorce et que tu te remaries avec ta petite sainte-nitouche de secrétaire?

*

Un mari a découvert, dans la penderie où il attachait son veston, un des amants de sa femme. Très mécontent, il va trouver celle-ci, qui fait semblant de dormir, et lui dit:
- Une fois pour toutes, j'aimerais que tu comprennes bien ceci: range *tes* affaires dans *ta* moitié de penderie!

*

Horriblement déçue par sa vie conjugale, une femme dit, quand elle présente ses deux grands enfants:

- Voici Franck, dix-sept ans et Murielle, quatorze ans. C'est tout ce que j'ai réussi à tirer de mon mari en vingt ans de mariage.

*

Un mari jaloux avertit sa femme:

- La première fois que je te prends à me tromper, je te tue.

- Ah! ricane-t-elle. Et la seconde?

*

La voyante conclut sa consultation en disant à sa cliente:

- Votre mari aura-t-il le culot de violer la nouvelle secrétaire qu'il doit engager demain? Le jeune facteur timide que vous aimeriez tant vous farcir va-t-il, enfin, comprendre que lorsque vous lui ouvrez votre porte en nuisette transparente c'est avec l'espoir qu'il vous mette la main aux fesses? Votre soeur, Marie, ne risque-t-elle pas de s'apercevoir que vous couchez, depuis plus de trois mois, avec son mari? C'est ce que vous saurez en venant, de nouveau, me consulter, jeudi prochain, à la même heure.

*

Une pauvre femme vient confier ses tourments à un grand chirurgien:

- Mon mari, lui rappelle-t-elle, était devenu totalement incapable de me faire l'amour. C'est pourquoi je l'avais incité à vous consulter.

- En effet. Et voilà deux mois que je lui ai greffé, à la place de son sexe défaillant, celui d'un tout jeune homme qui avait légué son corps à la science, avant de mourir dans un accident de voiture.

- C'est cela, docteur.

- Et, autant que je sache, la greffe a parfaitement réussi.

- Oh! oui. Désormais, mon mari, qui a retrouvé, grâce au sexe de ce brave garçon, toute la vigueur de ses vingt ans, fait l'amour à longueur de journée, avec n'importe qui... sauf moi.

- Et pourquoi pas avec vous?

- Il dit qu'il ne peut pas supporter l'idée que je commette l'adultère.

*

Une conseillère conjugale reçoit cet appel désespéré d'un sexagénaire anxieux:

"Un de mes amis, qui a trois ans de plus que moi, m'a raconté qu'à son âge, il fait encore l'amour quatre fois par semaine. Moi qui en suis à une fois par mois, cela me traumatise. Que me conseillez-vous?"

Réponse de la spécialiste:

"Apprenez à mentir sans rougir comme votre ami."

*

Le meilleur ami de la famille ayant été trouvé au lit avec l'épouse par le mari, il tente de désarmer la colère de celui-ci:

- Ecoute, Thierry, lui dit-il, considère le bon côté de la chose. Par exemple, quand tu rentreras tard le soir, désormais, après avoir bu un coup avec les copains, et qu'elle t'engueulera, au moins, là, tu auras de quoi lui clouer le bec.

*

Une jeune mariée téléphone à sa mère:

- Maurice, explique-t-elle, est encore d'une humeur de dogue et il se refuse obstinément à manger ce que je lui ai servi. Dis donc, tu le savais, toi, qu'on ne met pas de caramel dans la choucroute?

*

Par un petit matin frisquet, une femme surgit à l'improviste dans l'hôtel où fait étape son représentant de mari. Là, elle le trouve au lit avec une séduisante blonde.

- Et moi, pauvre gourde, gémit la malheureuse épouse, quand tu m'as dit que tu comptais emmener une chaufferette dans tes bagages, qui croyais que tu parlais d'une bouillotte en caoutchouc!

*

- Que préférez-vous, demande un enquêteur à un mari timide: faire l'amour ou fêter Noël?

- Fêter Noël... parce que ça revient plus souvent.

*

Voulant faire cadeau d'un cheval à sa femme, un monsieur va dans un haras où on lui présente une bête superbe mais difficile.

- Croyez-vous, questionne le monsieur, qu'une femme puisse mater un cheval pareil?

- Certainement, répond l'employé du haras. Mais je n'aimerais pas être le mari de la femme capable d'un tel exploit.

*

La femme d'un industriel raconte à une amie:

- Ce que j'ai pu être stupide, pendant des années! J'ai

cru mon mari à chaque fois qu'il me téléphonait, sur le coup de six heures du soir, pour me dire qu'il était séquestré dans son bureau par un délégué syndical particulièrement excité.

- Et ce n'était pas vrai?

- En un sens, si. Mais je voudrais que tu voies quelle rousse incendiaire ils ont élue, pour représenter la CGT!

*

- C'est merveilleux, s'extasie une dame, comme tu as toujours les mains douces et blanches. Quel est ton secret?

- Il est simple, répond son amie. Pour faire la vaisselle, j'utilise toujours Bruno.

- C'est un nouveau produit-miracle?

- Non. Bruno, c'est mon mari.

*

Alors qu'un homme politique est en train de plancher sur l'épineux dossier d'un territoire d'Outre-Mer, particulièrement agité, sa femme lui dit:

- A propos, mon chéri, voudrais-tu répondre à ce petit référendum d'ordre personnel. Es-tu décidé à me faire l'amour au moins trois fois par semaine, ou préfères-tu m'accorder mon indépendance?

*

- Docteur, s'étonne un monsieur, vous aviez dit à ma femme qu'elle cesserait d'être stérile si elle faisait une cure dans une station balnéaire.

- En effet.

- Nous y avons passé trois semaines, il y a trois mois de cela et elle n'est toujours pas enceinte.

- Évidemment, fait le médecin en haussant les épaules, si vous l'accompagniez!

*

Dans un camp de nudistes, un petit nouveau interroge un habitué:
- Comment avez-vous découvert la joie que l'on éprouvait à vivre tout nu?
- Ça m'est venu d'un coup: le jour où ma femme m'a supplié de lui acheter un manteau de vison.

*

- Tu ne m'as pas réparé la fermeture-Eclair de mon pantalon! se met à hurler un homme, au moment de partir pour le travail. Sais-tu, ce que je vais faire? Je ne vais pas mettre de slip et sortir comme ça, la braguette béante, pour te faire honte, en montrant à tout le monde de quoi je dois m'accommoder toute la journée.
- Non, proteste sa femme, pas ça! J'aurais trop honte que les gens constatent de quoi je dois m'accommoder toute la nuit.

*

- Ce que j'appelle un perdant-né, raconte un directeur de cirque, c'est cet artiste que j'ai connu autrefois. Il avait épousé la Femme-sans-tête.
- Et il n'a pas été heureux avec elle?
- Eh bien, à chaque fois qu'il voulait faire l'amour, elle refusait, en prétextant qu'elle avait la migraine.

*

- Vous devriez bien, dit un locataire à son voisin de palier, demander à votre médecin de famille de vous redonner un peu de tonus par quelques injections d'hormones mâles.

- Non mais, dites-donc, qu'est-ce qui vous permet?
- Une chose bien simple. Tous les soirs, votre femme me fait des parasites sur ma télévision, pendant qu'elle se contente toute seule avec son vibromasseur.

*

- Allons, dit un mari, conciliant, cette dispute est stupide. Je reconnais que tu as raison.
- Trop tard! s'écrie sa femme. J'ai changé d'avis.

*

Un petit homme triste vient consulter un conseiller en bonheur conjugal:

- Ma femme est terrible, gémit-il. Elle est très autoritaire.
- Qu'est-ce qui vous fait dire cela, mon ami?
- Elle tient un journal où elle relate tout ce que nous faisons l'un et l'autre, dans les moindres détails.
- Mais, s'étonne le conseiller, je ne vois là rien d'extraordinaire. Beaucoup d'épouses agissent de la sorte.
- Oui, mais la mienne écrit son journal avec une semaine d'avance.

*

Un couple, qui a été invité à dîner chez des amis, s'est lancé, avec ses hôtes, dans une sévère partie de strip-poker.

- Ça me gêne un peu, dit le mari, d'enlever ma chemise parce que j'ai perdu.
- Tu ferais peut-être un peu moins de manières, répond sa femme, si tu en étais, comme moi, à ne plus rien trou-

ver d'autre à retirer, pour payer tes dettes, que ton rouge
à ongles.

*

Un homme adresse au suborneur de sa femme une lettre de quatre pages sur ce ton:

- Espèce de saligaud, vous m'avez ridiculisé mais ne
triomphez pas trop vite: je vous ruinerai, d'abord, après
quoi je vous kidnapperai, je vous torturerai abominable-
ment et je me délecterai de vous voir crever dans les plus
atroces souffrances.

Après quoi il ajoute ce *PS:*

"Mon stylo étant à sec, veuillez avoir la bonté de m'ex-
cuser si je vous écris au crayon."

*

Dans un bistrot, un petit homme au crâne bosselé se
vante:

- Moi, quand je discute avec ma femme, j'ai toujours
le dernier mot.

- Et quel est-il, ce dernier mot?

- Aïe!

*

- Tu es rentré complètement saoul, la nuit dernière, de
ton banquet d'anciens combattants, dit une femme à son
mari.

- Qu'est-ce qui te permet d'affirmer cela?

- Un détail qui ne trompe pas. Quand tu as tiré ton portefeuille de ta poche, pour le poser sur la table de nuit, je
t'ai demandé de l'argent - et tu m'en as donné.

*

La femme d'un pianiste virtuose vient d'être surprise au lit avec deux charmants jeunes gens.

- Enfin, dit-elle à son mari, sois un peu logique, pour une fois: tu n'arrêtes pas de répéter que jamais ton instrument ne vibre aussi bien que lorsqu'on l'effleure à quatre mains - et cela semble t'étonner quand j'entreprends d'en faire autant.

*

En pleine nuit, le téléphone sonne à l'asile psychiatrique de la ville. Un infirmier de garde répond brièvement et raccroche:

- Qui était-ce? questionne un de ses collègues.
- Un type de l'extérieur. Il demandait si un de nos pensionnaires ne s'était pas échappé: quelqu'un vient d'enlever sa femme.

*

- Pourquoi, demande le président du tribunal, lorsque votre mari vous a surprise au lit avec votre amant et qu'ils se sont entretués sous vos yeux, êtes-vous restée totalement indifférente, sans venir en aide à l'un ou à l'autre?
- Monsieur le président, répond la belle, il vous est sans doute déjà arrivé de voir deux chiens affamés se battre pour un os. Combien de fois avez-vous vu un os assez bête pour se lancer, lui aussi, dans la bagarre?

*

- Monstre! Espèce de monstre! hurle une femme, complètement déchaînée. Comment peux-tu dire que c'est la meilleure des tartes aux pommes que j'aie jamais confectionnée - alors que c'est une brandade de morue!

*

- Ah! dit la belle infidèle à son mari qui l'a trouvée en train de batifoler avec un jeune homme, qu'est-ce que tu ferais sans moi, toi qui es si brouillon! Tiens, ton revolver que tu cherches partout, depuis cinq minutes, il est là, dans le quatrième tiroir de la commode!

*

Chéri, dit une dame à son mari, je vais faire admirer à nos amis mon nouveau service à café en porcelaine de Limoges. Va chercher ton épuisette au garage et tiens-la bien en-dessous, pendant qu'ils prendront mes précieuses tasses en main.

*

Une pauvre femme, délaissée par son mari, s'esclaffe, en lisant le journal, tandis qu'il gagne le lit conjugal, toujours perdu dans ses rêveries mathématiques:
- Ça alors, c'est la meilleure! Il paraît que tu fais l'admiration du monde entier parce que tu as découvert une nouvelle source d'énergie! Tu ne pourrais pas m'en faire profiter, des fois, de ta nouvelle source d'énergie?

*

Dans un cocktail, un homme fronce le sourcil en apercevant un individu.
- Ce godelureau, là-bas, dit-il à sa femme, c'est bien lui que j'ai pincé dans la penderie, le mois dernier?
- Décidément, mon chéri, répond son épouse, tu n'as pas la mémoire des visages. La penderie, c'était Charles. L'autre, près du buffet, c'est Michel, que tu as déniché de sous le lit.

*

- Ainsi, dit le président du tribunal, vous prétendez, madame, qu'un cambrioleur a pu pénétrer chez vous, sur le coup de trois heures du matin et vous faire l'amour sans que vous vous réveilliez?

- En effet, monsieur le président. Il faut vous préciser que, depuis vingt ans que je suis mariée, c'est toujours ainsi que cela s'est passé avec mon époux.

*

Un couple de milliardaires est en pleine bagarre:

- Je te préviens d'une chose, lance la femme, au comble de l'exaspération. A dater de ce soir, nous ferons yachts jumeaux.

*

Une femme acariâtre se déchaîne après son gringalet de mari:

- Tu es vraiment un sale bonhomme, un affreux faux-jeton! Hier, encore, tu as fait semblant de me croire, espèce d'hypocrite, alors que tu savais pertinemment que je te mentais.

*

- Je voudrais, dit une dame à un pharmacien, des ovules contraceptifs à la chlorophylle, comme j'en utilise depuis plus d'un an.

- Je n'en ai pas en ce moment mais je peux vous les commander pour ce soir.

- Bon, conclut la dame, commandez-les moi. C'est mon mari qui passera les chercher. Vous le reconnaîtrez facilement: il a une moustache verte.

*

Deux époux, mariés depuis dix ans, sont, un jour, victimes d'un cyclone. Celui-ci démolit leur petite maison et les emporte, encore couchés dans leurs lits jumeaux, à deux kilomètres de là.

La femme pleure à grands sanglots:

- Voyons, lui dit son mari, rassure-toi, nous sommes sains et saufs.

- Mais c'est de joie que je pleure, répond l'épouse. Depuis dix ans, c'est la première fois que nous sortons ensemble.

*

- Docteur, dit l'épouse d'un octogénaire, je vous ai appelé pour mon mari. Voilà: c'est l'amour qui lui fait mal au dos.

- L'amour? s'étonne le médecin. A son âge.

- C'est-à-dire que, quand il vient de passer une demi-heure courbé en deux, devant un trou de serrure, pour suivre les ébats de la bonne et de son amant, ensuite, il ne peut plus se redresser.

*

Un homme arrive un matin au bureau avec le visage affreusement griffé.

- Qu'est-ce qui t'est arrivé? questionnent ses collègues.

- Oh! gémit-il, une chose terrible. Et tout ça vient d'un cadeau que j'ai acheté pour ma femme.

- Elle n'en a pas été contente?

- Figurez-vous que je voulais lui offrir un soutien-gorge. Et voilà qu'hier soir, elle débarque au bureau, alors que j'étais en train de le faire essayer à ma secrétaire pour m'assurer que j'avais pris la bonne taille.

*

- Ma femme a un grand défaut, confie un homme à un copain de café. Elle pousse de véritables cris de joie quand elle est en train de faire l'amour.

- Et cela te coupe tes moyens?

- C'est surtout que, pendant qu'elle fait cela, avec notre jeune voisin, sur le canapé de la salle de séjour, moi, je suis obligé de mettre le son de la télé au maximum si je veux entendre quelque chose.

*

Au Musée du Louvre, un visiteur voit un guide entrer dans la salle égyptienne, s'approcher d'une momie et l'embrasser goulûment.

- Chéri, dit la prétendue momie, nous ne pouvons plus nous voir comme cela. Mon mari pourrait avoir des soupçons - ne serait-ce qu'en constatant combien, chaque mois, je dépense en bandes Velpeau, pour me déguiser ainsi.

*

Un mari brimé téléphone à la conseillère du coeur d'un poste périphérique:

- Ma femme, explique-t-il, est un véritable tyran. Elle ne me laisse aucune initiative et me traite comme un véritable domestique.

- Réagissez, lui dit la conseillère, montrez les dents!

Le lendemain, il la rappelle:

- Alors, questionne-t-elle, vous avez montré les dents?

- Oui, répond-il, piteusement. Et, maintenant, j'en ai deux de moins.

*

Surpris en flagrant délit d'adultère, un mari volage crie

à sa femme, qui s'avance, en tenant à la main un couteau de cuisine:

- Non! Je t'en conjure! Epargne-la!
- Jamais de la vie! ricane l'épouse bafouée.

Et d'un grand coup de couteau, elle éventre la poupée gonflable.

*

- C'est très bien, dit une femme maniaque à son mari, de frotter tes chaussures boueuses sur le paillasson, pour ne pas salir les patins. Ce que j'aimerais, maintenant, c'est que tu te débrouilles pour essuyer tes pieds où tu veux mais que tu ne salisses plus le paillasson.

*

Dans un grand magasin, à l'époque des soldes, une ruée sauvage met aux prises une centaine de clientes déchaînées. Un peu à l'écart de cette mêlée, le mari d'une de ces furies confie à un inspecteur:

- J'attends la mi-temps pour avouer à ma femme que j'ai oublié mon carnet de chèques.

*

Un couple fête son dixième anniversaire de mariage:

- Tu ne m'aimes plus comme avant, se plaint la femme. Rappelle-toi, quand tu me rendais visite chez mes parents, au temps où nous étions fiancés, tu passais des soirées entières à me tenir les mains.

- C'est vrai, reconnaît le mari. Mais j'avais une bonne raison d'agir ainsi. Sinon, tu aurais absolument voulu me jouer du piano.

*

Un représentant de commerce entre dans un café et commande:

- Un sandwich jambon-beurre et une bière.

- Voilà, monsieur, dit le barman.

Quand il a fini, le client demande:

- Ça fait combien?

- Cinquante centimes pour le sandwich et vingt pour la bière: 70 centimes.

L'autre sursaute mais il tente une nouvelle expérience:

- Donnez-moi un café et un marc.

- Voilà, monsieur. Ça fait, en plus dix centimes pour le café et trente pour le marc. Donc, en tout: un franc dix.

Le représentant paie et ne peut s'empêcher de remarquer:

- Vous allez tout droit à la faillite, en pratiquant des prix pareils!

- Je l'espère bien, dit le barman. Voyez-vous, ce n'est pas moi qui dirige la boîte. Le patron, en ce moment, il est dans la chambre, au-dessus, en train de faire l'amour avec ma femme. Alors, en coulant son fonds de commerce, c'est le meilleur moyen que j'aie trouvé pour me venger.

*

Un malheureux mari suggère à sa femme:

- Si tu m'achetais, pour mon anniversaire, une machine à laver la vaisselle, j'aurais plus de temps pour passer la cireuse et faire briller tes parquets.

*

Un homme, avec un oeil poché et un bras en écharpe, accompagne sa femme à une réception.

- Ma chérie, dit l'épouse à son hôtesse, venue l'accueillir, Raoul s'est fait un peu tirer l'oreille pour assister à ta soirée - jusqu'au moment où je lui ai clairement expliqué combien je risquais d'être contrariée s'il persistait dans son refus.

*

Tandis que la diseuse de bonne aventure installe son matériel, un monsieur, venu la consulter, remarque:

- Ce qui doit être épouvantable, pour une voyante, c'est de lire, tous les jours, dans les cartes ou dans le marc de café qu'elle restera célibataire.

- Et pourquoi resterait-elle célibataire?

- Franchement, vous connaissez un homme qui serait assez fou pour épouser une extra-lucide?

*

- Docteur, dit une dame, il faut que vous examiniez mon mari. Depuis le début de notre mariage, toutes les nuits, il raconte à haute-voix ce qu'il a fait dans la journée.

- Vous êtes mariée depuis combien de temps?

- Six ans.

- Et c'est seulement maintenant que vous venez me voir!

- C'est que, depuis avant-hier, il ne dit plus rien.

*

Un chef syndicaliste raconte avec force détails les avanies que lui a fait subir sa femme.

- Moi, tu vois, lui dit un de ses auditeurs, je trouve, en toute objectivité, qu'elle a raison.

- Ça alors, s'indigne le syndicaliste, ce n'est pas que tu passerais du côté des patrons!

*

Un avocat tente d'apitoyer les jurés sur le triste sort d'un homme qui a tiré sur sa femme parce qu'elle était incurablement frigide:

- Mon client, plaide-t-il, était en permanence dans la situation d'un individu qui, ayant eu beau appuyer sur le bouton de l'ascenseur, constate, avec dépit, que celui-ci ne part pas.

*

- Oh! mon Dieu! s'écrie une femme infidèle, en consultant sa montre. J'étais tellement bien, dans tes bras, à batifoler, que j'en ai complètement oublié l'heure. Que va dire mon mari, en me voyant rentrer à neuf heures du soir?

- Raconte-lui n'importe quel mensonge, fait son amant en lui tapotant les fesses, tandis qu'elle agrafe son soutien-gorge.

- Tu es bon, proteste-t-elle. Tu crois que c'est facile de mentir à quelqu'un qu'on n'aime pas!

*

Le directeur d'une grande entreprise s'indigne, en trouvant sa femme couchée avec un autre homme:

- Peux-tu justifier ta conduite?

- Facilement, répond-elle. Vois-tu, tu m'as toujours répété qu'il fallait traiter l'amour comme on traite les affaires. Alors, moi, avec Monsieur, je viens de réaliser une fusion.

*

Dans un musée, une dame, en visite avec une amie, tombe en arrêt devant un tableau représentant un satyre qui poursuit une nymphe, dans une forêt.

- A propos, dit-elle, je t'ai raconté comment, pendant

nos dernières vacances à la campagne, j'ai fait la connaissance du cousin germain de mon mari?

*

- Que reprochez-vous exactement au docteur Martin votre époux? demande un avocat à la femme qui veut divorcer.
- A plusieurs reprises, il a eu des rapports sexuels avec ses malades.
- Je crains, dit en souriant l'avocat, que ce ne soit le cas de beaucoup de médecins.
- Peut-être. Mais mon mari, lui, est docteur vétérinaire.

*

Au cours d'une soirée entre amis, un mari s'étonne d'avoir vu disparaître sa femme. Il explore toutes les pièces sans résultat et ce n'est qu'après plus d'une heure qu'il a l'idée d'ouvrir la porte d'une penderie. Là, il découvre sa femme toute nue dans les bras d'un charmant jeune homme, guère plus vêtu.
- Bravo, dit d'emblée, la belle infidèle à son mari. Mon chéri, tu as gagné une boîte de cigares en récompense de ta perspicacité. A présent, toi et monsieur allez vous cacher et c'est moi qui vais vous chercher.

*

- Mais enfin, sois un peu logique, dit une femme à son mari qui vient de la surprendre, couchée dans le lit conjugal avec un amant. Tu pouvais quand même te douter que du jour où tu m'as eu équipée d'une machine à laver le linge, d'une machine à laver la vaisselle, d'un four à micro-ondes et d'un aspirateur électrique, il faudrait bien que je trouve quelque chose pour occuper le temps que cela me permettait d'économiser.

*

Le ministre de la Santé publique visite un asile avec sa femme. Celle-ci interroge le médecin-chef de l'établissement:

- Qu'est-ce qui a amené ces malheureux ici?
- Pour une moitié environ, ils ont perdu la raison parce qu'ils n'avaient pas réussi à épouser la femme qu'ils aimaient.
- Et l'autre moitié?
- Ils l'avaient épousée.

*

- Votre mari est végétarien, paraît-il, dit une dame à une amie. Ça consiste en quoi, au juste?
- Eh bien, il se refuse à manger quoi que ce soit qui bouge même quand il n'y a pas de vent.

*

- Avec le taux de cholestérol que vous avez, dit le médecin à un de ses patients, je vous interdis formellement les corps gras.
- Vous pouvez, demande le malade, me souligner ça au crayon rouge, sur votre ordonnance, pour que ça me serve d'excuse quand ma femme, qui pèse cent kilos, voudra absolument qu'on fasse l'amour?

*

- Mon mari est vraiment très vieux, soupire une pauvre femme qui n'a jamais cessé de songer à la gaudriole. L'autre soir, nous traversions en voiture un petit bois désert où, quand nous étions fiancés, nous baisions comme des fous, quand nous sommes tombés en panne. Henri s'est gratté la tête en me disant: "Ça me rappelle quelque

chose. On a dû s'y arrêter, dans les mêmes circonstances, il y a une vingtaine d'années. Ce que je me demande, c'est si c'était pour y chercher des champignons ou pour y cueillir du muguet."

*

- Oh! mon chéri, dit une dame qui vient à l'hôpital rendre visite à son mari qui gît sur son lit avec deux jambes brisées, un bras retourné, une fracture du crâne et une oreille arrachée, il y a une chose que je n'oublierai jamais: c'est la lueur sauvage que j'ai vue dans tes yeux quand tu as dit à cette brute, dans le métro: "Vous allez cesser de peloter les fesses de ma femme où je vous casse en deux."

*

Le jour de ses noces d'argent, une dame confie à sa meilleure amie:
- Quand j'ai épousé Alexandre, lorsque nous nous mettions au lit, il était si impatient qu'il arrivait avant même que j'aie ôté mes bas.
- Et maintenant?
- Avec le temps qu'il lui faut pour se mettre en train, j'aurais le temps d'en tricoter une paire.

*

- Peux-tu m'expliquer, demande un monsieur à un ami, pourquoi ton pantalon est toujours bien repassé à hauteur des genoux et tout fripé au-dessus?
- Bon sang! Tu fais bien de me rappeler qu'il faut absolument que j'achète une rallonge de fil pour le fer à repasser de ma femme.

*

- Et, à votre avis, cela dure depuis combien de temps?
- D'après les taches de rousseur qu'il a sur les fesses, je serais tenté de répondre: depuis les premiers jours du printemps.

*

Une patiente se fâche:
- Mais enfin, docteur, si c'était pour m'entendre dire que je devrais manger moins de pâtisseries et perdre au moins dix kilos, il me suffisait d'écouter les jérémiades de mon pauvre mari, au lieu de venir consulter un médecin.

*

- Tu ne me dis jamais que j'ai du charme! se plaint une femme à son mari et, pourtant, j'en ai, je le sais, sans aucun doute, à présent.
- Qu'est-ce qui te permet d'être si affirmative?
- Tu te rappelles ce plombier qui est venu changer un robinet, l'autre jour? Quand il a eu fini, je suis arrivée dans la cuisine, en déshabillé de nylon transparent, et on a fait l'amour. Eh bien, il me l'a bien souligné, je suis la seule de ses clientes avec qui il ait fait ça sans porter ensuite le temps passé sur la note à envoyer au mari.

*

Une femme, très en colère, lance à son mari:

- Ne viens surtout pas me dire que tu n'as jamais songé qu'à faire mon bonheur. D'abord, si tu m'avais vraiment aimée, tu m'aurais incitée à en épouser un autre!

*

Un de ses collègues de la Chambre s'étonne auprès d'un célèbre homme politique:

- Ta femme a deux amants et tu ne dis rien?
- Que veux-tu que je fasse? répond le mari, en bon démocrate. Je suis en minorité.

*

- Ma chérie, dit un monsieur à sa femme, j'ai décidé de suivre tes excellents conseils et de me cultiver un peu.
- Tu es allé à la bibliothèque municipale?
- Oui.
- Et tu y as trouvé de quoi passer des soirées intellectuelles?
- Oui.
- En prenant un bon livre?
- Non. En prenant pour maîtresse la bibliothécaire.

*

- Je suis furieuse, confie une femme à sa meilleure amie. Je viens d'apprendre que Robert me trompe depuis plus de six mois.
- Mais, je crois que de ton côté...
- Justement! J'aurais beaucoup mieux goûté la chose, à chaque fois que je prenais un amant, si j'avais su qu'en faisant cela je me vengeais.

*

- Cette nuit, dit un pilier de café à un autre, tu es rentré particulièrement tard chez toi et ta femme ne t'a pas caché ce qu'elle pensait de ta conduite.

- En effet, mais comment le sais-tu?

- Je viens de rencontrer ton épouse et, quand elle m'a dit bonjour, j'ai constaté qu'elle était aphone.

*

Un mari trompé est allé saisir une arme dans le tiroir de la table de nuit et il en menace l'amant de sa femme.

- Hi! hi! hi! fait celle-ci, en se tordant de rire, mon pauvre Victor, si tu savais ce que ton revolver à deux balles peut être ridicule à côté de son pistolet à six coups!

*

Un homme très galant téléphone à des amis:

- Demain soir, ma femme fête son quarantième anniversaire. Voulez-vous nous faire l'amitié de venir l'aider à souffler ses vingt-neuf bougies?

*

Une femme est allée se faire avorter. Avant que son mari n'ait eu le temps de s'étonner de sa sveltesse retrouvée, elle s'écrie: en se tâtant le ventre:

- Mon Dieu! J'ai été victime d'un pickpocket!

*

Une voisine en visite s'étonne:

- Votre mari n'est pas là, ce matin?

- Si. Si. Il est couché à plat ventre sous le tapis de la salle de séjour.

- Sous le tapis?

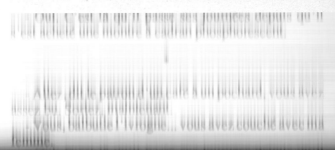

- Mais non, proteste le cafetier. C'est faux.
- Vous jurez que vous n'avez jamais couché avec ma femme?
- Je vous le jure.
- Alors, faites-le donc un de ces jours. Et vous comprendrez mieux après pourquoi, au moment de rentrer chez moi, je n'ai jamais assez bu.

*

Un couple, qui vient de fêter ses noces d'argent, est venu en pélerinage dans le village où il a fait connaissance:
- Regarde, dit le mari, il est toujours là, ce banc sur lequel nous avons fait l'amour pour la première fois.
- Oui, répond sa femme. Et il est resté bien vert, *lui*.

*

Une dame a réussi à se faire emmener au restaurant par son mari. Au moment où il déplie l'addition, elle le questionne:
- Tu es tout pâle, mon chéri. Ai-je mangé quelque chose qui ne te convient pas?

*

De la fenêtre d'un immeuble en flammes, un homme crie aux pompiers, qui ont tendu une grande toile, en bas:

- Je vous envoie d'abord ce que j'ai de plus précieux: ma collection de timbres, ma contrebasse, mon chien... Ensuite, je vous lancerai ma femme.

*

Deux hommes se présentent le même jour au Paradis. Saint Pierre interroge le premier:

- A quel titre prétendez-vous figurer parmi les bienheureux?

- J'ai été marié pendant trente ans avec la même femme.

- Bon. Martyr! Entrez. Et vous?

- Moi, fait le second, en vingt-cinq ans, je me suis marié six fois.

- Fichez le camp! hurle saint Pierre. Ici, on accepte les martyrs mais pas les imbéciles.

*

- Moi, dit un monsieur à un collègue de travail, ça fait dix ans que je suis marié. Eh bien, *jamais* les voisins n'ont entendu un éclat de voix s'élever de notre appartement... Dès le premier jour de notre mariage, ma femme a fait insonoriser toutes les pièces.

*

Un amant malmené par un mari jaloux s'écrie:

- Ecoutez, plutôt que d'en venir aux mains, je vous propose un arrangement. Certes, j'ai fait l'amour trois fois avec votre femme. Mais je ne resterai pas éternellement célibataire. Alors, je vais vous faire une proposition. Voulez-vous que je vous fasse un bon pour que, lorsque

je serai marié, vous vous vengiez en baisant trois fois ma femme à votre tour?

*

Au moment où ils prennent place pour le petit déjeuner, une femme dit à son mari, en pyjama, non rasé et les cheveux en désordre:

- Une chose m'étonnera toujours; avec la tête que tu as le matin, pourquoi, comme tous les maris du monde, ne la dissimules-tu pas derrière un journal?

*

- Bon, dit l'eunuque d'un sultan d'Arabie, très satisfait. Mon maître a baisé ses épouses n°28, 3, 45, 12, 39, 17 et 40. Ça y est, mon loto est fait!

*

Le mari d'une femme très dépensière a une bonne surprise en la voyant revenir, les mains vides, d'une tournée dans les magasins.

- Est-ce que, par hasard, ricane-t-il, tu n'aurais rien acheté?

- Rassure-toi, mon chéri, lui répond-elle. La camionnette de déménagement manoeuvre pour se garer devant la porte.

*

- Chéri, dit une belle infidèle à son amant, c'est mon mari qui arrive à l'improviste. Ça va être l'occasion pour toi de me montrer si tu es un aussi bon représentant que tu le prétends toujours. Avant qu'il ait ouvert la bouche, vas-y, attaque-le en lui proposant ta serrure de sécurité

- Vous avez de la chance, répond l'autre. Si je vous disais que moi, votre femme ne m'y autorise plus qu'une fois tous les quinze jours.

*

Fou furieux, un homme se précipite dans la salle de bains où sa femme procède à sa toilette et il la soumet à un interrogatoire en règle:

- Tu es rentrée hier soir de chez ta mère avec un manteau de fourrure. D'où vient-il?

- Je l'ai gagné à une loterie.

- Et ta robe de la semaine dernière?

- Je l'ai gagnée à une loterie.

- Et ta chaîne en or d'il y a quinze jours?

- Je l'ai gagnée à une loterie. Maintenant, fiche-moi la paix.

Elle s'apprête à s'asseoir sur le bidet quand son mari lui dit, gentiment:

- Fais bien attention, surtout, de ne pas abîmer, en le mouillant, ton billet de loterie.

ADMIRATRICE
« C'est bien dommage qu'admiratrice ait dans le rôle
de gracieuse demande et d'admiratrice muette qu'on lui

voit jouer au cirque, dans les numéros d'acrobates.

Gilbert Cesbron

AIDE

Le vieux maréchal Pélissier, duc de Malakoff, ne se faisait guère d'illusions sur ses forces déclinantes. Il avait pourtant épousé une jeune et jolie dame d'honneur de l'impératrice Eugénie, Mlle de Valera:

- Si, dans un an, dit-il, le jour de la cérémonie, je n'ai pas d'enfant, je flanque tous mes aides de camp à la porte!

ALLER ET RETOUR

Nous ne trouvons guère que deux plaisirs dans notre intérieur, celui d'en sortir et celui d'y rentrer.

Henry Becque

AMANT

Un amant ne donne pas seulement la vie à tout, il fait aussi oublier la vie; le mari ne donne la vie à rien.

Honoré de Balzac

AMOUR

L'amour est une question qu'il ne faut pas traiter par-dessous la jambe.

Alexandre Breffort

AMOUREUX

On devrait toujours être amoureux. C'est la raison pour laquelle on ne devrait jamais se marier.

Oscar Wilde

ARGENT

Ne vous mariez pas pour de l'argent, vous pouvez en emprunter à meilleur prix.

John Kelly

ARITHMÉTIQUE

Tout conjoint trouve que sa moitié a un caractère entier à chaque fois qu'elle ne se met pas en quatre pour lui.

Françoise Parturier

AUDACE

L'amant timide n'est jamais heureux. Le bonheur est le prix de l'audace.

Lope de Vega

AVEUGLEMENT

Les femmes voient sans regarder, à la différence des maris qui regardent souvent sans voir.

Louis Desnoyers

BAIL

On aurait dû appliquer au mariage la police relative aux maisons qu'on loue par un bail de trois, six et neuf ans, avec pouvoir d'acheter la maison si elle vous convient.

Le prince de Ligne

BEAUTÉ

Si votre femme est jolie, ne lui dites pas qu'elle est jolie, parce qu'elle le sait: dites-lui qu'elle est intelligente, parce qu'elle l'espère. Si votre femme est laide - ce sont

des choses qui arrivent - dites-lui qu'elle est jolie. Alors, elle songera: "J'ai épousé une âme d'artiste."

Francis de Croisset

BÉNÉFICE

Le bénéfice d'aimer c'est que, d'ordinaire, on aime l'autre moins que soi.

Jean Rostand

BONHEUR

Pour être heureux avec les êtres, il ne faut leur demander que ce qu'ils peuvent donner.

Tristan Bernard

CADEAU

Pourquoi est-il si difficile de trouver un cadeau de mariage qui ait l'air vraiment de coûter aussi cher qu'on l'a payé?

Georges Courteline

CHOIX

C'est la femme qui choisit l'homme qui la choisira.

Paul Géraldy

COCU

Henri IV se promenant sur une colline dominant Paris désigna la capitale, en s'écriant:

- Ah! que de nids de cocus!

Un seigneur, faisant allusion à la reine Margot qui n'était pas un modèle de vertu, poursuivit:

- Sire, je vois Le Louvre.

DETTES

D'après mon expérience, un homme devrait toujours se libérer de toutes ses dettes avant de se marier. Sinon, c'est une joie qu'il risque de ne jamais connaître.

François Périer

Euripide

DUO

On disait, devant l'auteur du *Gendre de Monsieur Poirier,* Emile Augier:

- Le mariage est un duo.
- Oui, fit-il. Ou un duel.

ÉCHANTILLONS

Dans le mariage, on marchande une femme comme une étoffe. Quand les prix sont débattus et que la marchandise est livrée, tel qui croit avoir la pièce entière trouve qu'on a levé bien des échantillons.

Rochebrune

EMPRUNT

Le romancier Paul Bourget comparait volontiers le plaisir d'aimer à celui de feuilleter la presse:

- Les femmes et les journaux, disait-il, ont ceci de commun que chaque homme doit avoir un exemplaire personnel, ce qui ne l'empêche pas, parfois, de parcourir l'exemplaire du voisin.

ENFER ET PARADIS

Une femme amoureuse ne craint pas l'enfer et le paradis ne lui fait pas envie.

Anatole France

ERREUR

Le mariage est une erreur que tout homme devrait commettre.

George Jessel

FÉLICITATIONS

Un matin, le vaudevilliste Yves Mirande rencontre un de ses confrères dont la presse avait annoncé le prochain mariage. Il se précipite vers lui et lui serre les mains avec effusion.

- Cher ami, lui dit-il, laisse-moi te féliciter! Ce jour est le plus beau jour de ta vie.

- Mais, fait l'autre, interloqué, ce n'est que demain que je me marie.

- Dans quelques années, conclut Mirande, tu verras que j'avais raison.

FIANCÉ

L'humoriste américain Ambrose Bierce définissait ainsi un fiancé:

- Muni d'un anneau à la cheville, en attendant la chaîne et le boulet.

FIDÉLITÉ

Les femmes fidèles sont toutes les mêmes, elles ne pensent qu'à leur fidélité et jamais à leur mari.

Jean Giraudoux

GALANTERIE

La belle duchesse de Forcalquier se plaignait à un ambassadeur turc de ce que Mahomet autorise la polygamie.

- Notre religion, madame, lui répondit le Turc, nous permet d'avoir plusieurs femmes afin que nous puissions trouver en elles les rares qualités et les charmes que vous possédez à vous seule.

IDIOT

Un homme peut être un idiot et l'ignorer, mais pas s'il est marié.

H.L. Mencken

IGNORANCE

Talleyrand, qui était plein d'esprit, avait épousé une femme dont l'ignorance et les bévues faisaient l'étonnement des intimes du "Diable boîteux". Un de ceux-ci se hasarda à questionner:

- Comment Mme Grand, avec la simplicité de ses moyens, a-t-elle pu vous subjuguer?

- Que voulez-vous, répondit Talleyrand, Mme de Staël m'avait tellement fatigué de l'esprit que j'ai cru ne pouvoir jamais assez donner dans l'excès contraire.

ILLUSIONS

Les illusions sur une femme qu'on a aimée, cela ressemble aux rhumatismes: on ne s'en défait jamais complètement.

Henry Becque

INQUIÉTUDE

Une femme s'inquiète de l'avenir jusqu'à ce qu'elle ait trouvé un mari, tandis qu'un homme ne s'inquiète de l'avenir que lorsqu'il a trouvé une femme.

George Bernard Shaw

LOTERIE

Le mariage est une loterie où les hommes jouent leur liberté et les femmes leur bonheur.

Mme de Rieux

LUNE DE MIEL

Hector Berlioz venait d'épouser, à Paris, la cantatrice Harriet Smithson. Il n'avait pas un sou vaillant et elle était couverte de dettes. Un grand ami de Berlioz, Franz Liszt,

MÉNAGE A TROIS

Dans le monde, on épouse une femme, on vit avec une autre, et l'on n'aime que soi.

Blondel

MONOTONIE

Le grand ennemi du mariage, c'est la monotonie.

Franc-Nohain

MUSELIERE

Le plus sot endroit où l'on puisse fourrer son museau, c'est une muselière. Les chiens, du moins, ne le font que de force; l'homme est assez bête pour le faire de plein gré - le jour où il se marie

Victor Hugo

NUIT DE NOCES

Montesquieu lisait que, sous le règne de saint Louis, les jeunes mariés ne pouvaient coucher ensemble, les trois premières nuits de leurs noces, sans en avoir racheté la permission à leur évêque.

- C'est bien, commenta-t-il, ces trois nuits-là qu'il fallait imposer; car, pour les autres, on n'aurait pas donné beaucoup d'argent.

OUI

Ce seul mot qui cimente tous les mariages n'est peut-être si court que parce qu'on craint la réflexion.

Adrien Dupuy

PARADIS

Si l'on pouvait prolonger le bonheur de l'amour dans le mariage, on aurait le paradis sur la terre.

Jean-Jacques Rousseau

PERFECTION

- Pourquoi, demandait-on au romancier anglais Sommerset Maugham, tant de mariages se terminent-ils, aux Etats-Unis, par un divorce?

- Les Américaines, expliqua-t-il, attendent de leur mari, une perfection que les Anglaises n'exigent que de leur maître d'hôtel.

PLAINTES

Je canoniserais volontiers une femme dont le mari ne se serait jamais plaint.

Sixte V

POLYGAMIE

Les lois sur les femmes sont mal faites. Les gens aisés devraient prendre d'abord autant de femmes qu'ils en peuvent nourrir. Ils chasseraient les mauvaises pour garder la bonne avec soin, s'il y en avait une. Au lieu de cela, ils se bornent à une seule, et c'est un gros risque. Sans aucun essai, ils prennent une fille et lestent leur barque d'un fameux poids.

Euripide

PRUDENCE

Le mari qui montre trop souvent sa femme et sa bourse s'expose à ce qu'on les lui emprunte.

Benjamin Franklin

PUDEUR
La pudeur est une seconde chemise.

P.J. Stahl

REGRETS
Une femme a beau être parfaitement heureuse en ménage, elle est toujours ravie quand elle voit un homme sympathique regretter qu'elle soit heureuse sans qu'il y ait contribué.

Michèle Morgan

REMARIAGE
Le remariage est le triomphe de l'espérance sur l'expérience.

Samuel Johnson

RÊVE
L'amour, dans le mariage, serait l'accomplissement d'un beau rêve, s'il n'en était trop souvent la fin.

Alphonse Karr

RIDICULE
Les rois et les maris trompés sont toujours les derniers à s'apercevoir de leur ridicule.

Napoléon Ier

ROBE
Une robe neuve est un plus grand motif de sécurité pour un mari qu'on ne le croit communément.

Théophile Gautier

SACRIFICE
Un consul de Rome voulait exhorter ses concitoyens au mariage. Voici le discours qu'il leur tint:

- Romains, si nous pouvions nous passer d'épouses, assurément aucun de nous ne voudrait se charger d'un si pesant fardeau; mais puisque la nature a arrangé les

Alfred Capus

SOLITUDE

Dieu créa l'homme et, ne le trouvant pas assez seul, il lui donna une compagne pour lui faire mieux sentir sa solitude.

Paul Valéry

SUICIDE

Celui-là décide de se jeter à l'eau ou de se loger une balle dans la tête. Cet autre accepte de se détruire lentement, au moyen d'un stupéfiant ou d'un autre. Cet autre encore, le plus insensé peut-être, se jette à corps perdu dans le mariage. A leur aise à tous. Grand bien leur fasse.

Paul Léautaud

TEST

Tant qu'on aime une femme, on lui parle beaucoup d'elle; quand on ne l'aime plus, on lui parle beaucoup de soi.

Beauchêne

TRANQUILLITÉ

Le prince de Conti, qui était fort laid, s'en allait pour un voyage de quelques jours. Il dit, en badinant, à son épouse:

- Madame, je vous recommande de ne pas me faire cornard en mon absence.

- Partez tranquille, lui répondit la princesse; je n'ai jamais cette envie que lorsque je vous vois.

TROMPERIE

Un mari peut ne pas savoir que sa femme le trompe, mais il n'est jamais sûr qu'elle ne le trompe point.

Mlle de Sommery

VIE CONJUGALE

Tous les mariages sont heureux. C'est de vivre ensemble que viennent tous les ennuis.

Raymond Hull

YEUX

Ayez vos yeux bien ouverts avant de vous marier et mi-clos quand vous serez marié.

Benjamin Franklin

TABLE DES MATIÈRES

La collection
Humour
chez Marabout

620 HISTOIRES

COCASSES

SPIRITUELLES **OU** ABSURDES

PETILLANTES

IMPERTINENTES

CAUSTIQUES

FARFELUES

CALEMBOURESQUES

ET

PRESQUE TOUJOURS

COQUINES

PIERRE DORIS

Histoires méchantes

Dessins de **Alain Lainé**

IMPRIMÉ EN FRANCE PAR BRODARD ET TAUPIN
6379A-5 - Usine de La Flèche (Sarthe), le 27-02-1989.

pour le compte des
Nouvelles Editions Marabout
D.L. mars 1989/0099/63
ISBN 2-501-01171-6